신과 대화 2

부제 : [illegible]

신과 대화 2 / 부제 : [illegible]

초판 발행 | 2020년 01월 31일
개정판 | 2024년 03월 04일
저　자 | JayKlein
펴낸이 | 한건희
펴낸곳 | 주식회사 부크크
출판사등록 | 2014.07.15.(제2014-16호)
주　소 | 서울특별시 금천구 가산디지털1로 119 SK트윈타워 A동 305호
전　화 | 1670-8316
이메일 | info@bookk.co.kr

ISBN | 979-11-410-7455-5

www.bookk.co.kr

신과 대화

2

JayKlein 지음

CONTENT

<세상을 지배하는 진리>

첫 번째, 다중 세상의 진리 : 나는 하나가 아니라 수많은 나로 이루어져 있고, 그만큼 수많은 세상이 존재한다. 각 세상 전체를 합하였을 때 나의 절대적 값은 다른 사람의 것과 같다

두 번째, 균형의 진리 : 물질적인 것뿐만 아니라, 추상적인 것까지, 모든 것은 균형을 이룬다.

세 번째, 분열의 진리 : 세상은 계속해서 분열하여 또 다른 세상을 만들어 낸다. 특정한 순간순간 또 다른 나와 세상이 생겨난다.

50. 제 3세계

검은색

아무것도 보이지 않는, 어쩌면 보이는 것이 검은색.

확실하지는 않지만 지금 내가 있는 이곳은 검은색이 지배하고 있었다. 그 검은색 바탕 위에 하얀색 글자들이 타이핑되듯 내 눈앞에 나타나기 시작했다. 아니, 눈을 가지고 있다고 할 수 없으니까 보인다고 하는 것도 이상하다.

「여긴 '제 3세계'로 네가 있었던 '화이트 룸'의 바깥세상이지. 정확히 말하면 바깥이라고 하기에는 조금 애매하긴 해. 하지만 이해하기에는 이 설명이 가장 쉬울거야. 단어를 정의해주자면 '화이트 룸'은 저승을 말해. 신이 있는 그곳. 누가 시작했는진 모르지만 그렇게 부르고 있어. 그리고 '제 3세계'는 화이트 룸을 벗어난 지역, 더 이상의 밖은 없는 무한한 공간이야. '제 3세계'라는 단어도 누가 처음으로 썼는지는 모르지만, 그렇게 쓰이고 있어.」

내게 이 메시지를 남기고 간 또 다른 나의 말에 의하면, 난 내가 있던 '화이트 룸', 즉, 저승에서 벗어난 세상에 있는 것이었다. 다시 말해, 내 세상은 사라진 게 맞다.

「그리고 네가 좋든 싫든 내가 네 세상을 부숴어. 더 이상 네가 살던 그곳은 없어. 하지만 '정보'는 존재해. 세상이 산산 조각나면서 수많은 정보의 덩어리가 제 3세계를 떠돌아다니지. 그 중 하나가 지금의 너야. 넌 하나의 '정보' 덩어리라고 할 수 있어.」

내가.. '정보' 덩어리라고 ???

「지금 너는 물리적인 육체를 가지고 있는 게 아니라, 너에 대한 기억과 특징 같은 것들에 대한 '정보'들이 강하고도 약한 '얽힘'으로 하나의 정보 덩어리가 되어 제 3세계를 떠돌아다니고 있어.」

새로운 단어들이 하나씩 나올 때마다 미간을 찌푸리듯 집중할 수밖에 없었다. 그렇지 않으면 이 메시지를 이해 못 할 것 같았기 때문이다.
'얽힘'은 또 뭐고 강하고도 약한 건 도대체 무슨 말일까. 나의 이 의문을 미리 예견하고 있었다는 듯 그 말에 대한 설명이 이어졌다.

「여기서 '얽힘'이라는 건 개개의 정보들이 서로 연결되어있는 거라고 할 수 있어. 각 정보가 상호작용하며 하나의 덩어리로 이루어진다고 보면 돼. 예를 들어 '너'라는 존재에 대한 10살 때의 기억 정보, 20살 때의 기억 정보, 아니면 단순히 외모적인 부분들에 대한 무수한 정보가 '얽힘'으로 지금의 너라는 정보 덩어리가 되는 거지.」

해석하자면, 난 여러 나에 대한 정보들이 서로 '얽힘'하여 지금 이렇게 생각이란 것을 하고, 저 정보를 받아들이고 있는 것이다. 어떻게 보면 지금 저 글을 보고 있는 이것도 '정보'에 대한 '얽힘' 현상일 것이다.

「이 '얽힘'에는 두 가지 정도의 종류가 있어. 하나는 '강하지만 약한 얽힘', 그리고 다른 하나는 '약하지만 강한 얽힘'이야. 말장난 같지만, 이 둘은 엄연히 다른 개념이고 정확하게 인지하고 있는 것이 좋아.

먼저, '약하지만 강한 얽힘'의 예는 또 다른 세상에 대한 얽힘이야. 너는 하나지만 하나가 아닌 건 알고 있지? 그리고 그만큼 무수한 세상이 존재하는 것도 알거야. 지금 당장 연관성이 높지 않아 너와 강하게 얽혀있지 않지만, 또 다른 세상과는 끊어지지 않게 얽혀있어. 즉, 당장 그 세상의 정보를 알 수 있는 상태는 아니야. 그래서 '약하지만'이라고하는 거야. 하지만 언제든지 그곳에 '접속'할 수 있어. 이는 어떻게 해서도 그 세상과 얽힘을 끊을 수 없기 때문이야. 그래서 '강한'

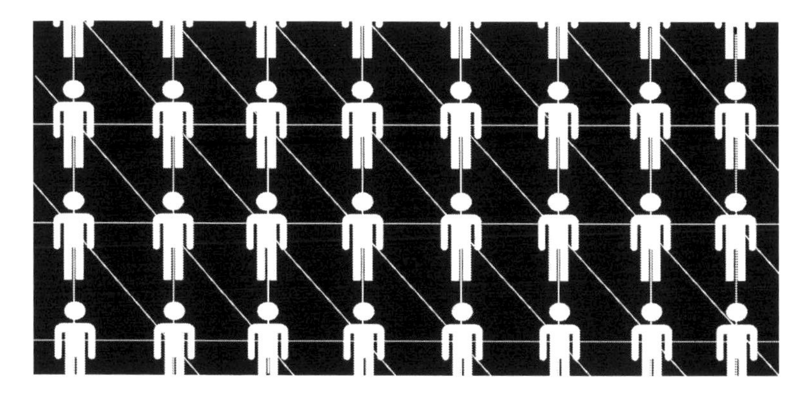

얽힘이라고 하는 거야.

그래서 결국 '약하지만 강한 얽힘'이라고 하는 거야. 영상으로 보여주자면 이런 느낌이지.」

눈앞에는 이 설명에 대해 내가 이해하기 쉽도록 영상이 하나 나타났다.

「다음으로 '강하지만 약한 얽힘'이야. 가장 좋은 예시는 지금의 너라고 할 수 있어. 너에 대한 각각의 정보는 '강하지만 약한 얽힘'으로 너를 이루고 있지. 현재는 그 각 정보의 연관성이 높아 강하게 얽혀 너를 이루고 있지만, 이 정보들은 언제든지 흩어질 가능성을 가지고 있어. 즉, 영원히 연결되어있는 '정보'가 아닌 거지. 예를 들면 옛날 기억을 잊어버린다고 하지? 그거랑 비슷한 거야. 그래서 현재는 강하게 얽혀있지만 언제든 끊어질 수 있기 때문에 약하다고 하는 거야.

이건 아주 중요하고 심각해. 단순히 과거 기억뿐만 아니라 너에 대한 물리적 정보들도 흩어지려고 하지. 그래서 넌 스스로에 대한 '얽힘'을 유지하는 게 중요해. 그렇지 않으면 각 '정보'들이 흩어져 '제 3세계'를 따로 떠돌아다니게 될 거야.

다시 말해, 너를 잃게 되는 거지.」

'다시 말해, 너를 잃게 되는 거지'

이 문장은 이 어둠 속에서 나를 알 수 없는 공포감으로 몰아넣었다. 나를 잃게되다니? 나는 나인데 내가 나를 잃어?

혼란스러우면서도 무서웠다

「그러니깐, 너를 잃지 않도록 항상 네가 누군지 집중하도록 해. 그것만이 유일하게 '얽힘'을 강하게 유지하는 방법이야.

다시 한번 더 말하지만, 너를 잃지 않도록 조심해.」

51.

「다시 한번 더 말하지만, 너를 잃지 않도록 조심해.」

라는 메시지를 마지막으로 첫 번째 메시지가 끝이 났다.

「/다시 보기
/두번째 메시지 보기」

그리고 방금 봤던 메시지를 다시 볼지에 대한 명령어 같은것과 다음 메시지를 볼지에 대한 명령어가 나타났다. 마치 도스 컴퓨터를 실행하는 것 같았다.

그런데 어떻게 작동하는거지? 내용이 생소해서 다시 봐야될 것 같은데?

라고 생각하는 순간, 첫 번째 메시지가 처음부터 다시 시작되었다.

「어서 와, 제 3세계는 처음이지? .....」

다시 첫 번째 메시지가 내 눈앞에 나타나기 시작했다.

단순히 무엇을 내가 원하는가에 따라 메시지를 볼 수 있었다.

첫 번째 메시지를 받아들이기 위해서 다시 집중했다. 그렇게 첫 번째 메시지를 복습할 수 있었다. 두 번 보니 어느정도 이해가 되어갔다.

내가 살던 공간을 이승이라고 하면, 화이트룸은 저승, 그리고 제 3세계는 그 밖의 세상이다. 그리고 난 그곳에 있는 것이고, 어떠한 물리적 물체로 존재하는게 아니라 여러개의 나에 대한 '정보'가 '강하고도 약하게 얽힌' 덩어리일 뿐이다.

이 말이 사실일까?

사실이 아니라면 어떻게 받아들여야 하는데? 눈을 깜박이려해도 되지 않고, 몸을 움직이려해도 움직여지지 않는다. 아니 움직여지지 않는 것이 아니라, 그냥 그것 자체가 없는것처럼 느껴진다. 하지만 거울 속 바라본 나의 모습은 떠오른다. 내가 어떻게 생겼고, 무슨 옷을 입었고.. 그리고 신을 만난것도 기억이나고, 이수찬을 죽인것도 기억난다.

난 나였다.

정확히 나라는 '정보' 덩어리가 맞는 것 같다.

혼자서 나오지 않는 한숨을 쉬었다. 내 삶이 끝나지 않은 것 같았다. 그래서 뭐? 앞으로 난 어떻게 해야할까?

「/두번째 메시지 보기」

두 번째 메시지 보기가 눈에 들어왔다. 일단은 저걸 봐야했다. 그래서 그 두 번째 메시지 보기에 집중했다.

「이제부터 네가 해야 할 일과 함께 제 3세계 작동법을 알려주도록 할게.」

과연 내가 할 일이란게 뭘까?

「네가 할 일은 다른 세상을 부시는 거야. 마치 내가 너의 세상을 부셨던 것처럼」

세상을.. 부신다..

신을 원망하며 세상을 다 부셔버리겠다고 다짐했고, 그걸 해내려고 했지만 나는 불가능했다. 그 대신 그 잘난 세상의 진리를 역이용했다. 정확히 내가 이용했다고 볼 수 있는지는 모르겠지만, 나의 예상대로 신을 이긴 또 다른 녀석이 내 세상을 부셔주었다. 그걸 이젠 내가 해야한다? 가능할까? 나같은 놈이 정말 가능할까?

그런 생각을 하면서도 웃긴점은 내 세상에서도 얻지 못했던 '일'이란 것을 여기선 얻었다는 것이었다. 그곳에서는 날 필요로 하지 않았지만, 이곳에서는 나를 필요로 했다.

「제 3세계가 하나의 우주라고 생각하자. 그러면 또 다른 나의 세상은 이 우주 속에 떠돌아다니는 행성 같은 거야.

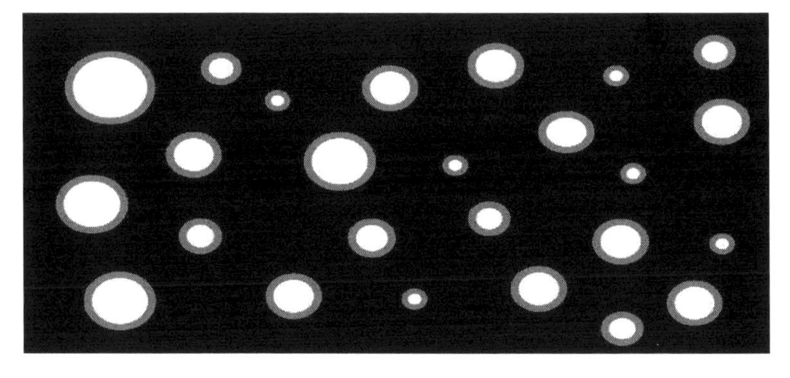

우린 그 행성을 부시면 돼. 행성에 '접속' 하는 방법은

간단해. 네가 의식적으로 또 다른 세상에 집중하는 거지. 그러면 '약하고도 강한 얽힘'에 따라 그 세상들을 시각적으로 확인할 수 있어. 그리고 한 곳을 선택해서 '접속'하면 돼. 마치 네가 두 번째 메시지를 열어본 것처럼. 간단하지?

네가 '접속'을 하게 되면 처음으로 도착하는 곳은 '화이트 룸'이야. 하지만 그 세상을 부시기 위해 가장 먼저 해야 하는 것이있어. 바로 그 세상의 주인인 또 다른 너와의 '얽힘'을 강하게 만드는 것이지. 제 3세계에서 바로 현실 세계로 닿을 수는 없어. 그 이유는 중간에 '화이트 룸'이라는 공간이 자리 잡고 있어서, 너와 또 다른 너 사이의 차원의 차이가 너무 크기 때문이야. 그렇기 때문에 또 다른 너를 제 3세계와 가까운 화이트 룸으로 옮길 필요가 있어.

정리하자면, 다음의 순서대로 일을 처리하면 돼.

먼저, 하나의 세상에 접속하여 '화이트 룸'으로 들어간다.
두 번째, '화이트 룸'에서 현실 세계로 넘어간다.
세 번째, 현실 세계에서 살아가는 너를 찾는다. 그리고 녀석을 죽인다.
네 번째, 죽은 또 다른 너는 화이트 룸에 있게 되고, 제 3세계에서의 너와 '얽힘'으로 엮여있다.
마지막으로, 다시 그 세계로 접속을 시도한다.

접속하는 과정에서 하나의 차원에 두 명의 너로 인한 '얽힘'이 충돌을 일으키고 그 세상이 무너져 내리지.

이렇게 세상을 부실 수 있어.

컴퓨터로 예를 들면 같은 폴더에 같은 이름, 같은 형식의 파일을 억지로 구겨 넣으면서 발생하는 오류 같은거야. 이건 그 세상의 근본 구역인 화이트룸에서만 이루어질 수 있어.」

그림을 포함한 설명을 보니 어느정도 이해가 될 듯하

면서도 머리가 아팠다. 하지만 신기했다. 내가 이런 세상에서 살고 있었구나… 싶은 생각과 함께, 과연 이런 장면을 바라본 천재 물리학자들은 무슨 생각을 했을까 싶었다.

「마지막으로 팁을 알려주자면, 넌 '정보' 덩어리이기 때문에 '접속'할 때 다른 정보를 '얽힘'해 접속할 수 있어. 즉, 너가 아닌 다른 사람으로 '접속'할 수 있다는 거지. 예를 들어 '머리가 길다'라는 정보를 '얽힘'해 접속하게 되면 넌 머리가 긴 모습으로 접속할 수 있어. 경우에 따라서는 매우 유용한 방법이지만 이 방법은 추천하지 않을게. 왜냐하면 너를 잃어버릴 위험이 있기 때문이야. '정보'의 '얽힘'이 네가 의식하지 못한 상태에서 얽혀지기도 하거든. 마치 우주를 떠돌아다니는 행성이 중력에 의해 서로 끌어당겨서 충돌하는 것처럼 말이야. 항상 주의하길 바래.

내가 남겨둔 메시지는 이게 끝이야. 난 네가 또 다른 너인 우리와 함께 세상을 부실거라 믿어. 지금 이 순간에도 수많은 네가 신에게 대항해 세상을 부셔나가고 있어. 물론 분열의 진리 때문에 매순간 엄청난 세상이 생성되고 있어. 하지만 우린 굴복하지 않을거야. 신을 이기기 위해.

당신이 틀렸다는 것을 보여주기 위해서.

내 말을 이해하지 못했다면 다시 보는 것을 추천할게.

그럼 행운을 빌어.」

마지막 팁과 함께 나의 행운을 비는 말을 끝으로 메시지는 끝이 났다. 또 다시 내 눈 앞에는 '/다시 보기'라는 문구가 보였다.

「/다시 보기」

52.

깨끗한 파란 하늘에 흉터처럼 그은 것 같은 구름이 떠있었다. 그런 하늘을 바라보며 생각했었다.

신이시여 당신은 왜 날 버리셨나요? 아니면, 날 구원하신 건가요?

무엇이 그의 뜻인지는 모르겠지만, 난 자살하는데 실패했다. 신을 믿는 사람들은 그것이 신의 뜻이고 내가 세상에 할 일이 남아있기 때문이라고 말할 것이다. 그런데 정말? 정말 내가 세상에 할 일이 남아있기 때문일까? 정말 그런 겁니까? 신이시여 당신이 정말 존재한다면 내 꿈속에 잠시 나타나 '그렇다'라고 딱 한마디만 해주세요. 아.. 그런데 그 할 일이라는게 다른 사람을 괴롭히는 일이라면? 내가 해야 하는 일이 누군가를 죽이는 일이고, 사회에 분란을 일으키는 것이고, 남의 것을 탐하는 것이라면? 그것도 신께서 내게 주신 이 세상에서 해야 할 일인가요? 그렇다면 그렇게 해야 하나요? 쓰레기가 있기 때문에 환경미화원이 일하고, 범죄가 있기에 경찰이 있는 것처럼... 모두가 열심히 공부하고 도덕적으로 착하게 살면서 검사, 판사, 의사가 되는 것이 아니라.. 누군가는 철저하게 짓밟혀서 범죄를

저지르는 사람이 되어야 한다면? 그것이 나라면? 이건 너무 극단적인가요? 그렇다면, 범죄는 아니더라도 누군가를 짓밟고 올라선 사람이 아니라 누군가에게 짓밟혀 실패한 인생이, 그런 패배자가 이 세상에 필요해서 나를 남겨두신 건가요? 신이 내게 남겨준 할 일이라는 것이 그것이라면..? 그래서 제가 죽을 수 없는 건가요?

그럼 전 어떻게 해야 하나요?
도저히 긍정적인 생각이 들지 않는데 어떡하죠...

내가 할 수 있는게 무엇일까? 라는 생각을 하면 가슴이 너무 답답하기만 했다. 이제는 뭔가를 하려 하면 어떻게 내가 실패하는지에 대한 그림이 머릿속에 먼저 그려졌다. 앞으로 영원히 그럴 것 같았고, 마치 신이 내게 정해준 운명처럼 보였다.

이런 내게 종교를 믿는 사람들은 '아니'라고 단호하게 말할 것이다. 신의 뜻이 있다고 할 것이다.

하지만 난 신을 만났다. 그곳에서 만난 신은 나에게 이 세상의 진리에 대해 설명해주면서 나를 농락했다. 애초에도 그랬지만, 이제는 더욱 그런 그를 옳다고 생각하지 않는다.

또 다른 내가 신이 만든 세상에 대항하기 위해 지금도 계속해서 철창 같은 세상을 부수고 그 안에 갇혀 고통받던 나를 구하고 있었다. 그들은 어떻게 보면 나에게 천사이자 구세주였다. 그리고 이제는 내가 그 역할을 할 차례다.

신은 나를 버렸지만, 나는 나를 버리지 않는다.

그것이 내가 먹었던 마음이다. 난 나를 버리지 않겠다. 또 다른 세상 속에서 고통받고 있는 그들에게 구세주처럼 나타나 구해주리라. 너의 고통을 거두고 안식처를 제공하겠다.

당신이 틀렸다는 것을 보여주기 위해서.

53. 김창호

“끝낸 건 여기에 두고, 저거 조립해 줘. 할 줄 알지?”

조립을 마친 물품을 박스에 담고 있는 나를 보며 공장장님이 새로운 주문을 했다.

“네, 알겠습니다.”

박스를 다른 박스 위에 쌓아두고 공장장님이 부탁한 곳으로 가서 이번에 새로 나온 장비 부품을 조립한다.

나는 조그마한 농기구 제조 공장에서 일하고 있다. 여긴 큰 공장은 아니지만 여기 사장이 특허를 낸 농업 관련 기구 이것저것을 만들어 판매한다. 가끔 사장님이 공장을 둘러보러 오실 때면 비싼 외제 차를 타고 오곤 했다. 그런 걸 보면 제법 수익이 있는가 보다.
여기서 제조하는 기구는 특별한 기술 없는 조그마한 농기구들이 대부분이다. 그래서 드라이버와 부품만 있으면 누구나 쉽게 조립할 수 있는 것들이었다. 이번에 새로 나온 제품 중 하나가 약간 문제가 있어서, 새로운 부품으로 갈아 넣는 작업을 진행 중이다. 어려운 작업은 아니지만 일일이 손으로 분해하고 조립해야 해서 여간 귀찮은게 아니었다. 하지만 나는 내 일에 만족한다. 남들이

부러워할 만큼 많은 돈을 버는 것도, 명예를 가진 직업도 아닌, 누구나 아무나 할 수 있는 그런, 어떻게 보면 아무것도 아닌 일이지만... 그렇기 때문에 아무나 할 수 없는 일이라고 생각하기 때문에 만족한다.

점심시간이 되면 식당으로 가서 각자가 싸 온 도시락을 먹는다. 오늘도 2단짜리 빨간 도시락을 꺼내어 자리에 앉는다. 도시락을 열면, 다 식어버린 하얀 쌀밥과 김치 그리고 도시락만큼이나 빨간 비엔나소시지가 자리하고 있다. 오늘은 여기에 더해 특별 반찬으로 콩자반이 들어있다. 별것 아닌 식단에 길지 않은 시간이지만 이 시간이 가장 즐겁다. 아침 7시 30분부터 일을 시작해서 12시까지 단순 노동을 하고 있노라면, 잠시라도 목을 돌릴 수 있고 다리를 펼 수 있는 이 시간이 즐겁다. 무엇보다 노동의 대가로 주어지는 달콤한 밥과 반찬은 내 허기진 배를 달래준다.

그렇다, 난 계약직 노동자다. 언제 잘릴지도 모르는 이곳에서 단순 노동을 하며 돈을 벌고 있다. 내가 가진 것은 튼튼한 몸뚱어리와 검정고시로 취득한 고등학교 졸업장밖에 없으니 어떻게 보면 당연한 결과일 수도 있다. 하지만 내게 꿈이 없는 것은 아니다. 지금 공무원 시험을 준비하고 있다. 일하면서 돈을 벌어 그 돈으로 공무원 시험 준비를 하는데 필요한 책을 사서 공부한다. 나머지 돈은 할머니와 나의 생활비로 들어간다. 나도 언젠가는 이곳에서 벗어나 남부럽지 않은 직장을 가지리라 믿는다. 그렇게 될 것이고, 그렇게 열심히 살아갈 것이다. 몇 년이 걸릴지는 모르지만, 몇십 년이 걸려도 포기하지 않는다. 왜냐하면, 내겐 나를 믿고 기다려주는 늙은 할머니가 집에 있기 때문이다.

늦은 저녁에 일을 마치고 집으로 돌아가면 어두운 집안에 할머니가 방에 앉아있다. 그녀는 태어날 때부터 시각 장애를 가지고 있었다. 그래서 앞을 볼 수가 없다. 집 밖을 비추는 가로등 불빛은 밝디밝지만, 할머니 혼자 계시는 방은 늘 어둡다. 하지만 거실 불은 늘 켜두신다. 그녀는 사람이 있는 집엔 불을 켜두는게 맞다고 말씀하시곤 했다. 밤에는 손자인 내가 오면 밝은 귀로 귀신같이 나인 것을 알아차린다.

“왔나?”

고개를 살짝 돌려 문 쪽으로 그녀는 말을 던진다.

“어, 할머니 나왔어.”

“저녁은? 먹어야 되제?”

25년 전 교통사고로 나는 아버지와 어머니 그리고 누나를 잃었다. 그리고 그 후로 줄곧 할머니와 둘이서 지냈다. 초등학생의 나이에 가족을 잃고, 나는 할머니 손에 자랐다. 할머니는 눈이 보이지 않지만, 나를 고등학교까지 졸업시키기 위해 집안에서 할 수 있는 소일거리 같은 것을 하면서 돈을 벌었다. 그렇게 해서 어떻게든 나를 고등학교까지 졸업시키고 싶어 했다. 하지만 내 생각에 그건 무리라고 생각했다. 미래를 위한 투자라고 하는 국어, 수학, 영어 공부는 당장 우리 집 형편에 도움되지 않았다. 그래서 중학교를 졸업하자마자 나는 아르바이트를 시작했다. 고깃집 아르바이트에서부터 막노동까지 안 해본 일이 없는 것 같다. 그러면서도 고등학교 졸업장은 가지고 있어야 한다는 할머니의 바람에 따라 검정고시를 준비했다. 집에 돈을 벌어다 주면서 하는 공부는 쉽지 않았다. 그 누가 가르쳐주지 않고 아무도 살펴봐 주지 않는, 거칠데로 거친 내 공부 방법은 정답이 아니었다. 하지만 몇 번의 낙방에도 불구하고 계속해서 도전했고, 23살의 나이에 뒤늦게 검정고시에 합격하여 고등학교 졸업장을 딸 수 있었다. 하지만 대학 갈 생각은 일찍이 접었다. 대학을 가서 또 돈을 쓰기보다는 일찍 일하며 돈을 버는게 나을거라 생각했기 때문이다. 그래서 검정고시에 합격한 이후에도 계속해서 일했다. 현재는 농기구 공장에서 돈을 벌고 있다.

이곳에 취업한 것은 우연이었다. 이전에 아르바이트했던 고깃집 사장님께서 이 공장 사장님에게 나를 추천한 것이다. 덕분에 훨씬 더 좋은 조건으로 일할 수 있게 되었다. 가장 만족스러운 것은 이전에 일했던 어떤 곳보다 돈을 더 많이 받고 있다는 것이다.

"씻고 오니라, 내 밥 차려줄테니."

할머니는 분주히 손을 더듬거리며 부엌으로 몸을 움직였다.

"알겠어."

세숫대야에 물을 담아 몇 번이나 얼굴과 몸에 물을 들이붓는다. 머리에 샴푸질하고 몸에 비누칠을 대충 한다. 그리고 물을 연거푸 머리에 들이부으며 손으로 문질문질 한다. 머리엔 샴푸 거품이 사라질 때까지, 몸에는 미끈거리는 비누가 사라질 때까지 물을 붓는다.

몸을 다 씻고 나오니 철로 만들어진 동그라한 밥상에 금방 데운 된장찌개와 따뜻한 하얀 밥 그리고 차가운 김치가 차려져 있다.

"아이고 또 저녁을 먹어볼까."

많다면 많은 나이지만, 어리다고 하면 어린 나이인데도 앉으면 아이고라는 소리가 새어나온다. 그럼 할머니는 이렇게 내게 뭐라고 하신다.

"젊은 아가 뭐 벌써 아이고 카노."

"아이고 할 수도 있지."

그렇게 대꾸하고 하얀 밥 위에 차가운 김치를 한 조각을 얹어 입에 밀어 넣는다. 그리고는 뜨끈한 된장 국물을 호로록하고 마신다.

"역시 우리 할머니 된장은 기가 막혀."

내 말을 들은 것인지 못 들은 것인지 할머니는 자신의 방에서 TV만을 보고 있다. 정확히는 듣고 있다고 하는 것이 맞겠다. 밥을 먹으면서도 방에서 흘러나오는 TV 소리를 듣는다. 한 대기업의 노조가 파업했다는 소식이었다. 대기업 직원이면 돈도 잘 벌테고 복지도 좋을텐데 왜 파업하나 모르겠다. 하지만 또 그들만의 사연이 있지 않을까 하고 입으로 밥을 넣는다. 그들의 세상과 나의 세상은 조금 다른 세상이었다. 그들이 내 세상을 모르는 것만큼이나, 나도 그들의 세상을 모를 것이다. 김치를 입에 밀어 넣고 우물우물하여 조금 삼킨 후 입을 열어 할머니를 부른다.

"할매! "

"와? "

"할매 내 내일 월급날 아이가, 뭐 먹고 싶은거 없나?"

할머니 방으로 던진 이 말에 몇 초간 아무런 대답이 없다.

"어?!"

그래서 난 한 번 더 확인차 소리를 내어 묻는다.

"올 때 고기나 쪼매 사온나."

TV 소리만 흘러나오던 방에서 할머니의 뜸들이던 대답이 들려온다. 갈등했을 할머니를 생각하며 조용히 웃는다.

"알았다. 낼 고기 쪼~~~매 사오께."

연세가 꽤 있으신데도 불구하고 고기도 씹어 드실 만큼 건강하시단 것에 감사한다. 나의 유일한 가족 할머니가 오래오래 건강하게 나와 함께 있어주면 좋겠다. 최소한 내가 버젓한 직장을 가지고 예쁜 아가씨와 결혼해서 손주를 낳을 때까진 있어주셨으면 한다. 너무 큰 욕심인가 싶으면서도 그것이 내가 신께 바라는, 그리고 매일 밤마다 잠들기 전 기도하는 소원이다.

54.

오늘은 어제까지 문제가 생긴 부분을 고친 물건을 트럭에 실어서 각 유통업체로 보내는 작업을 해야 했다. 창고에 쌓여있는 박스가 꽤 많아 여럿이 붙어서 짐을 날랐다. 아침 일찍부터 시작했는데, 이는 조금이라도 빨리 제품을 유통업체에 보내기 위함이었다. 힘쓰는 일을 하다 보면 땀이 이마에 송골송골하고 맺혔다. 그러면 잠시 허리를 펴며 이마를 쓰윽 닦는다. 그러면서 남몰래 저 건너편 유리창 너머로 보이는 경리 아가씨를 본다. 그녀도 아침부터 바쁜지 컴퓨터를 뚫어져라 보며 뭔가를 열심히 입력하고 있다. 그녀가 여기서 일을 시작한 지는 얼마 되지 않았다. 사무 일을 처리하는 그녀는 우리와 마주칠 일이 그렇게 많지는 않았다. 하지만 처음 입사한 날 돌아다니며 직원들에게 인사한 적이 있었다. 그때 그녀를 처음 보았다. 그렇게 빼어난 미모의 여성은 아니지만, 하얗고 조그만 얼굴과 눈매가 묘하게 귀엽다고 생각했다.

"김씨 어여 해야지 뭐해."

같이 일하던 아저씨가 잠시 한눈팔던 내게 뭐라 한다.

"아, 예 땀 좀 닦느라, 죄송합니다."

일하다 보면 금방 점심시간이 된다.

화장실로 가서 손을 씻고 땀을 닦아내기 위해 세수를 한번 했다. 거울엔 물에 흠뻑 젖은 내 얼굴이 보였다. 그 모습과 눈빛을 몇 초간 바라보다가 허리를 펴서 일어났다. 그리고는 목에 메고 있던 수건으로 물기를 닦아냈다.

.

.

.

19:00

일을 마치고 집으로 돌아가면서 대형마트를 들렀다. 오늘 월급이 들어왔기 때문에 할머니와 삼겹살도 구워 먹고, 오랜만에 맥주도 한잔할까 한다. 할머니는 술을 잘 안 드시니 내가 먹을 것만 사면 됐다. 상추와 깻잎도 샀다. 마늘은 집에 있으니깐 살 필요가 없었다.

종량제 봉투에 이것저것 장 본 것들을 담아, 노란 가로등 조명만이 비추는 거리를 걸어 집으로 향했다. 겨울의 전성기를 알리는 이 밤의 차가운 바람이 낡은 외투를 거칠게 주먹으로 치는 것 같았다. 하지만 12월의 겨울은 좋다. 크리스마스가 있는 날이라서인지 어디를 가도 캐럴이 종종 들렸고 모두가 행복해 보였다. 그래서 차가운 공기와는 다르게 따뜻함을 가득 안고 있는 달(月)이라고 생각한다. 여기에 만약 눈까지 내리면 마치 온 세상에 축복이 내리는 것만 같다.

대문 앞을 노란 가로등 조명이 비치고 있었다. 대문을 열고 집으로 들어섰다. 가장 먼저 눈에 띄는 것은 마당에 할머니가 키우고 있는 자그마한 텃밭이었다. 할머니가 종종 파나 쑥 같은 것을 키우곤 하는 곳이다. 본인의 심심함도 달래고 반찬거리로도 쓰기 위해 그것들을 키웠었다. 물론 지금은 겨울이라 아무것도 없이 흙만 가득했다.

"할매 내 왔다. "

신발을 벗으며 마루에 올라서면서 방 쪽을 향해 소리쳤다. 할머니에게 빛은 필요 없지만 거실 조명은 환했다. 평생을 어둠 속에서 살아왔기에 밝은 빛은 그녀에게 큰 의미로 다가오지 않을 것이다. 평생을 까만 어둠 속에서 살아간다... 어떤 의미일까? 내가 지금 보는 것들을 단 한 번도 보지 못한 삶이라.. 전혀 공감되지 않는다. 하지만 그녀는 여태껏 잘 살아왔다. 대단하다면 대단하고, 안타깝다면 또 안타까웠지만, 이렇게 열심히 살아온 그녀에게 감히 내가 뭐라고 판단을 내리는 건 예의가 아니라고 생각한다. 자신의 삶에 대한 모든 판단은 그녀에게 있을 뿐이다. 하지만 가끔 궁금하긴 했다. 어렸을 적, 젊었을 적 그녀는 어떤 삶을 살아왔을까?

하지만 굳이 묻지는 않았다.

두 손으로 더듬더듬하며 방에서 나온 그녀는 내게 물었다.

"고기는 사왔나?"

삼겹살이 먹고 싶었나 보다.

"사왔지! 쪼매~~~~만"

55.

어제저녁, 삼겹살 한 점을 먹고 시원한 맥주를 목으로 넘겼다. 따끔따끔한 탄산이 목을 타고 넘어갈 때마다 표정은 찡그려졌지만, 시원함이 머리끝까지 차올랐다. 그렇게 별거 아닌 것에 만족하며 쌓인 스트레스를 풀었다. 할머니도 노릇노릇하게 구워진 삼겹살을 상추에 싸서 입으로 넣어 오물오물하며 잘 드셨다. 그런 모습을 보며 할머니의 건강한 모습에 다행이란 생각이 들었다.

그런데 오늘 아침 할머니 속이 심상치 않다. 어제 먹은 고기가 소화가 잘 안된 것인지 아침밥을 드시지 않으려 한다. 그저 손주 도시락 만드는데 여념이 없다. 밥솥에 완성된 하얀 밥을 밥주걱으로 잔뜩 퍼서 도시락에 꾹꾹 눌러 담고는 프라이팬에는 빨간 소시지를 뒤집개로 휘적휘적하며 구우셨다. 그녀가 매번 빨간 소시지를 도시락에 넣어주는건 내가 초등학교 때 그 반찬을 유난히 좋아했기 때문이다. 그리고 그것이 지금까지 이어진 것이다. 그녀에게 난 여전히 초등학생의 어린 손주인가 보다.

“아침밥 안 먹을거가?”

난 할머니가 차려준 밥을 입 안에 넣으면서 물었다. 그녀가 아침밥을 챙겨 먹길 바랬다.

“아침 안 먹을란다.”

그런 모습을 바라보는 난 마음이 편치 않았다. 나는 그녀가 늘 건강한 모습이길 바랬다.

“잘 챙겨 먹어야 건강하고 하지.”

괜히 아침밥을 먹으라고 투정부린다. 속이 좋지 않아서 안 먹는 것인데, 그걸 알면서도 할머니가 건강하게 그 작은 입으로 오물오물하며 밥을 먹길 바랬다.

"속이 안 좋다니께."

그러자 괜스레 마음속 한 켠에서 뭔가가 메여온다.

"밥을 잘 챙겨 드시고 해야지. 그래야 건강하고 하지."

속이 안 좋다는데 왜 계속 밥 먹으라고 타령인지, 언젠가 할머니가 돌아가시고 나와 피가 섞인 혈육이 세상에 단 한 명도 없다는 사실이 나는 두려운가 보다. 세상에 홀로 남는 것, 무조건 내 편을 들어줄 사람 한 명 없는 이곳에서 나 홀로 살아가야 하는... 옆을 .. 뒤를 돌아보아도 아무도 없는 그런 삶.. 그런 삶만이 내게 남겨질까 봐 무서워서 괜히 투정부리는 거다. 부모님과 누나가 죽은 후 줄곧 할머니와 나... 이 세상에서 이 둘만이 서로 의지하며 살아왔다. 그런데.. 그마저 없어지면 어떡하냔 말이다. 그래서 할머니가 아플 때마다 가슴이 철렁 내려앉고, 안절부절못하며 의미 없는 투정을 부리는 것이다. 이런 내 심정을 아는지 모르는지 할머니는 손자가 먹을 도시락을 싸는데만 집중하는 것 같다. 아침을 먹는 내내 그 모습을 보면서 마음이 편치 못했다. 하지만 힘이 없는 할머니의 모습을 뒤로하고 나는 일하러 가야 했다.

점심시간 할머니가 아침마다 정성스레 싸주는 도시락을 싹싹 긁어먹으면서도 소시지 두 개는 남겼다. 그 이유는 공장 주변에 배회하는 고양이에게 주기 위해서다. 점심때마다 두 개씩 남겨서 주곤 했다.

고양이에게 짠 것을 주면 안 된다는 말을 어디서 들은 것 같아, 양념이 묻은 소시지를 물에 씻어 뭉개지지 않도록 손으로 살살 잡고는 밖으로 향했다. 그리곤 그 아이를 찾아 두리번거렸다.

“너 이름이 뭐야?”

누군가의 목소리가 들렸다. 난 그쪽을 향해 바라보았다. 그곳엔 내가 찾던 고양이와 이번에 새로 들어온 경리 아가씨가 쪼그리고 앉아있었다. 그녀는 밥 달라는 눈빛으로 바라보는 고양이에게 통하지도 않을 대화를 계속 요구하고 있었다. 그 모습을 잠시 바라보다 천천히 그곳으로 걸어갔다.

“나비에요, 나비.”

그러면서 녀석에게 소시지를 건넸다. 그녀는 흠칫 놀라며 나를 바라보았다. 하지만 놀란 길고양이처럼 도망치지는 않았다.

내 손에 놓인 두 개의 소시지를 손으로 툭 쳐 바닥으로 떨어뜨려 입으로 넣는 녀석을 두고 우리는 쪼그려 앉아있었다.

“고양이 좋아하세요?”

먼저 말을 건넨건 나였다. 나의 질문에 그녀는 고양이에게 향해 있던 눈을 내게 돌려 웃으며 대답했다.

“네, 귀엽잖아요.”

그리고 거기에 더해 그녀가 말을 이어갔다.

“키우는 고양이에요?”

약간은 농담이 섞인 질문이었다.

“아니요, 고양이가 절 키우죠. 고양이가 주인이잖아요.”

하며 웃으며 받아쳤다. 그녀는 나의 이런 썰렁한 농담에도 밝게 웃어주었다. 잠시 옅은 미소와 고양이의 쩝쩝거리는 소리만이 우리 둘을 감쌌다.

“일은 힘들지 않아요?”

신입에게 물을 만한 뻔한 질문이었다. 하지만 그런 뻔한 질문에도 그녀는 미소를 띠며 내게 끄덕이며 대답을 해주었다.

"네, 괜찮아요."

"요즘 취업하기 힘들죠?"

"그렇죠..."

약간은 씁쓸해 보이는 답변이었다. 난 그녀의 눈치를 살폈다. 더 이상 관련해서는 묻지 않는게 좋을 것 같았다. 그러는 동안 고양이는 나를 몇 번 훑어보더니 내가 본인에게 줄 것이 없다는 것을 알아차린 것 같았다. 흥미를 잃은 녀석은 고개를 휙 하고 돌려 자기 갈 길을 유유히 걸어갔다. 꼬리를 살랑살랑 흔들며 걸어가는 녀석의 엉덩이를 바라보던 그녀가 자리에서 먼저 일어났다.

"그럼 먼저 들어가 볼께요. 수고하세요."

그녀의 인사에 나도 자리에서 일어나 고개 숙여 인사했다. 그러면서도 살짝 멋쩍어 두 손으로 바지 뒷부분을 쓰윽 하고 닦았다. 좀 더 대화하고 싶었는데... 자리를 일찍 떠버린 고양이 녀석이 얄미웠다. 소시지를 더 많이 챙겨올 걸 그랬다. 그녀는 나를 그 자리에 두고 길고양이처럼 유유히 떠났다. 그래도 기분은 좋았다. 한 번이라도 대화를 해보고 싶었는데, 이런 우연으로라도 대화하게 되었다는 생각에 살짝은 들떴다.
내 머릿속에서는 이미 서로 가까워져 가는 우리를 상상했다. 다음엔 통성명하고, 그러다가 밥도 같이 먹고 영화도 같이 보고.. 데이트하다 고백하고 사귀고, 결혼하고... 애는 딸 하나에 아들 하나..

혼자서 끝없는 상상의 나래를 펼치다 정신 차리며 주위를 둘러보았다. 내 주변으로는 따뜻한 겨울 햇볕과 아무것도 없는 빈 논만 있었다. 그리고 일할 시간을 알리는 알림음이 공장 내부에서 들려오고 있었다. 길에 덩그러니 서서 바람에 흔들리는 나의 그림자를 바라보았다. 내가 모르는 또 다른 내가 나를 한심하게 보는 것 같았다. 괜히 얼굴이 뜨거워진 나는 급하게 그 자리를 떴다.

56.

오늘은 일이 조금 많아 평소보다 조금 늦게 마쳤다. 그래도 경리 아가씨와의 짧은 대화 때문인지 기분은 여전히 좋았다. 별것도 아닌 대화 몇 마디에 축배를 들고자 소주를 몇 병 사서 집으로 향했다. 그리고 안주는 고민고민하다 결국 고른 새우 맛 과자였다. 사실 그냥 잠드는 것보단 술의 힘을 빌리면 좀 더 잠들기 쉬웠다. 그건 안정적이지 못한 현실에 대한 불안이 아니었다.

외로움

사람을 필요로 하는 외로움 그것이었다. 그 외로움은 밤만 되면 나를 찾아와 몸속 깊숙한 곳까지 더듬곤 했다. 혼자서 그 차가운 손길을 뿌리치기 위해 여기저기 손으로 더듬어 보기도 했지만 내 정신까지 채울 수는 없었다. 하지만 술을 마시면 몸이 노곤해지면서 지친 몸이 외로움을 느끼기 전에 쉽게 잠들었다. 그래서 가끔은 잠들기 위해 술의 힘을 빌리곤 했다.

어두운 밤거리 하늘이 맑아서 그런지 오늘따라 유난히 달이 밝아 보였다. 집으로 돌아가는 길에 나를 맞이 해주는 건 가끔 밝게 뜨는 저 달과 별 그리고 골목길 중간중간에 비치된 노란 가로등뿐이었다. 가끔 술에 잔뜩 취해 가로등을 부여잡고 자신이 오늘 먹은것을 토해내는 사람들이 있긴 했다. 무엇이 그리 힘들어 그렇게나 술을 마시고 고통스럽게 토하고 있는 걸까? 싶은 생각으로 그 사람들을 쳐다보며 지나간 적이 있었다. 하지만 오늘은 나도 마실 거다. 그들처럼 힘들어서가 아니라 기뻐서 마시는 것이다. 달 옆으로 별들이 몇 개 보였다. 골목길 안쪽에 있는 우리 집으로 노란 가로등 조명이 나를 안내했다.

내 시선으로 집 대문에 있는 가로등이 보였다. 조금만 더 가면 됐다. 그런데 누군가 가로등 아래서 담배를 태우고 있었다. 남의 집 앞에서 담배를 태우는 그의 행동이 불쾌했다. 집에 할머니도 계시는데, 담배 연기가 집으로 들어갈까 걱정됐다. 당장 따질 생각으로 그를 바라보며 성큼성큼 걸어갔다. 그리고는 그와 어느 정도 대화가 가능한 거리에 도달했을 즈음 그에게 말을 걸었다.

“저기요, 여기서 담배 피우시면 안돼요.”

가로등 조명 아래 모자를 눌러쓰고 담배를 피우는 그는 드리워진 그림자 때문에 얼굴이 잘 보이지 않았다. 하지만 그에게 점점 더 다가갈수록 어두운 그림자에 가려진 얼굴 윤곽이 드러나기 시작했다. 그가 나를 향해 고개를 돌리고 바라보았을 때 난 그가 누군지 알게 되었다.

그는 다름 아닌 나였다.

58.

“학생!! 학생!!!! 학생!”

누군가 날 흔들며 부르는 소리가 들렸다. 가로등 조명 빛 때문에 눈을 찌푸리며 떴더니 내 앞에 웬 아저씨가 걱정 가득한 얼굴로 날 바라보고 있었다.

“학생! 학생 괜찮아?”

그의 얼굴을 바라보다 주위를 둘러보았다. 난 도로에 누워있었고, 내 앞에 거대한 차량의 타이어가 보였다.

“괜찮아?”

계속해서 내게 안부를 묻는 그는 안절부절못하고 있었다. 나는 천천히 내 팔로 직접 몸을 일으켜 세워 앉았다.

“학생 괜찮은거야 ?”

처음보는 아저씨가 내게 계속해서 말을 건네고 있었다.

“학생? 어때 다친 곳은 없어? 119 불러줄까?”

이거, 어디서 본 적 있는 상황이다.

도로 위에 앉아있는 나, 그리고 도로 중간에 멈춰있는 대형 트럭과 나를 걱정스럽게 바라보는 아저씨... 내가 처음 죽었을 때 그 장면이었다.

“아, 아니.. 그렇게 주위도 안 보고 길을 건너면 어떡해!”

나는 아저씨의 걱정스러운 말보단 주위를 둘러보며 상황 정리하기에 바빴다. 분명 제 3세계에 있었고, 또 다른 나의 세상에 접속했더니 이 상황이 반복되고 있었다.

천천히 자리에서 일어났다. 그리고 주변을 둘러보았다. 이곳은 내가 살았던 이승과 같았다. 단지, 다르다고 하면, 내 앞에 서 있는 이 아저씨, 처음 보는 사람이다. 그리고 이 날씨, 차가운 바람이 부는.. 그리고 어두움... 크리스마스가 다가오는 겨울의 분위기.. 내가 입고 있는 옷도 그때와 동일했다.

"병원 가봐야 되는거 아니야?"

그가 멍하니 서 있는 나를 보며 아마도 정신이 나간 건 아닐까 걱정하며 말했다.

"제가 얼마나 기절해 있었죠?"

"1분 정도..? 아마?"

또, 1분... ? 1분 정도였다고 한다.

"괜찮아요. 네, 몸은 멀쩡합니다."

나를 부축해주려 하는 그의 손을 손사래 치며 그곳에서 벗어나려고 했다. 그러자 그가 나를 붙들어 잡았다.

"아니, 그냥 가면 안 돼. 자, 여기."

그는 지갑에서 자신의 명함을 꺼내 내게 건넸다. 그 명함을 얼떨결에 받아들며 무의식적으로 보았다.

달랐다.

회사명도 운전 기사분 이름도 다 달랐다.

분명 여긴 내가 살던 세상이 아니다. 내가 살던 세상은 부서졌고, 난 방금 전까지 제 3세계에 있었다. 그리고 지금, 현재 또 다른 나의 세상으로 들어와 있는 것이었다. 그렇다. 난 성공적으로 다른 세상에 접속했다.

"학생, 내가 지금 정말 바빠서 빨리 가봐야 하거든. 지금은 괜찮아 보이니깐 먼저 가는데, 꼭 병원 가서 검사받아봐. 그리고 비용은 나한테 청구하고. 알겠지?"

그는 그때와 비슷한 말을 남기고 트럭을 운전해서 그 자리를 떠났다. 난 천천히 주변을 둘러보며 도로를 벗어나 인도 쪽에 비치된 벤치에 가서 앉았다. 혼란스러웠던 그때처럼. 그때는 이것이 다 꿈이었다고 생각했지만, 이제는 아니다. 이건 현실이고, 내 세상이 아닌 다른 나의 세상이다.

길엔 여러 사람이 걸어 다니고 있었다. 밤이 다가오는 시간.. 그리고 차가운 바람을 막기 위해 두꺼운 옷차림을 하고 있었다.

내가 살던 세상은 아니지만, 내가 살던 세상과 거의 똑같은 모습을 한 이곳을 보니 왠지 향수에 젖어들었다. 그런 향수 같은거 없을거라 생각했는데.. 그렇게나 힘들게 살았던 곳인데... 그러면서 부모님과 누나의 얼굴이 떠올랐다. 차가운 바람 때문인지 눈물이 눈에 살짝 맺혔다. 하지만 울지 않겠다. 내가 여기 앉아 울고 있을 시간이 없다. 또 다른 내가 이 세상에서 어떻게 살아가는지 모르겠지만, 힘들게 살아가고 있다면 더욱이 그에게 필요한 건 다른 사람이 아닌 나일 것이다. 그를 고통 속에서 구제할 것이다.

그런 마음가짐을 가지고 벤치에서 벌떡 하고 일어섰다. 하지만 그 불끈 솟은 의지와는 반대로 잠시 멍하니 서 있을 수밖에 없었다.

'어디로 가야 하지?'

막막했다. 저번에는 내가 연예인이라서 찾기 쉬웠지만, 이번에도 연예인이라는 보장이 없다. 연예인이 아닐 확률이 더 높을 것이다. 그렇다면 일반인이라는 것인데, 일반인을 찾기란 쉽지 않을 것이다. 어떻게 해야할까 머리를 굴리던 나는 일단, 내가 살던 빌라를 찾아가보기로 했다. 혹시나 그 빌라에 살고 있을 수도 있기 때문이었다.

.

.

.

쾅!

302호 문이 신경질적으로 닫혔다. 웬 돼지같이 생긴 녀석이 짜증을 잔뜩 부리며 문을 닫아버렸기 때문이다.

여긴 아니었다. 이곳엔 내가 아닌 다른 사람이 살고 있었다. 그럼 나는 어디서 살고있는 걸까? 전국 8도를 어떻게 다 뒤진단 말인가? 아니면 혹시 외국에서 살고 있다면...? 답도 없다.

깊은 한숨을 쉬며 편의점을 향해 걸었다. 답답함에 담배라도 한 대 피워야 할 것 같았다. 내 세상에서도 자주 가던 그 편의점으로 발이 향했다. 그곳엔 처음 보는 남자 아르바이트생이 앉아서 책을 보고 있었다. 내가 들어서자 그는 즉각 나를 향해 고개를 돌리더니 내게 인사를 건넸다. 나도 어색하게 고개를 숙이며 인사를 건넸다. 그러면서 그에게 내가 피우는 담배를 달라고 했다. 그는 자리에서 일어나 자신의 뒤편에 정렬된 담배 중 내가 말한 것을 찾기 시작했다. 그러는 동안 심심한 내 눈은 그가 보고 있던 책을 봤다. 그 책은 다름 아닌 대기업 입사시험 빈출 사자성어를 모아둔 것이었다. 그걸 보면서 옛날의 내 생각이 나면서, 조금은 그가 가여워 보였다.

"여기 있습니다."

그는 내게 담배를 건넸고, 난 지갑에 있던 만원짜리를 그에게 건넸다. 받은 돈을 계산대에 넣고 잔돈을 거슬러주는 그는 아무런 생각도 하지 않고 있을 것이다. 마치 로봇처럼 입력된 값에 따라 작동하고 있을 것이다. 내가 나가고 나면 또 기계처럼 사자성어들을 머리에 채워 넣고 있을 것이다. 아무런 의미 없이, 그냥 혹시나 시험에 나올까 하는 마음에 그것들을 보고 있을 것이다.

"고마워요."

괜히 감사의 인사를 건네고 편의점 문을 나섰다. 그러면서 담뱃갑에서 담배를 하나 꺼냈다. 그리고 입에 물려는 순간 내 시선은 차들이 지나다니는 도로를 지나 건너편의 파출소로 향했다. 나는 입에 담배를 문 채로 담뱃불을 붙일 생각은 하지 않고 잠시 그 파출소를 쳐다보았다.

저기라면, 저기라면 내가 어딨는지 알 수 있지 않을까?

물고 있던 담배를 다시 담뱃갑에 밀어 넣고 난 그곳을 바라보며 빠르게 걸음을 옮겼다.

59.

골목길 어둠 속에서 누군가 걸어오는 소리가 들렸다. 난 아랑곳하지 않고 입에 물고 있던 담배 연기를 힘껏 내 몸속으로 받아들였다. 그리고 연기를 내뿜으며 나를 감싸는 노란 가로등 조명을 바라보았다. 빛을 내뿜는 조명 위로 어두운 하늘이 보였다. 차가운 바람이 내 목덜미를 지나쳤다. 다시 담배를 물어 하얀 연기를 몸속으로 끌어넣었다. 하얀 연기가 내 폐포를 하나하나 스며들 때쯤 그가 말을 걸었다.

"저기요, 여기서 담배 피시면 안 돼요."

저 어두운 골목을 헤집고 내게 다가온 그가 익숙한 목소리로 내게 담배 피우면 안 된다고 했다.

폐 속에 가득 차있던 연기를 다시 어두운 밤길로 내뿜었다. 그리고 천천히 고개를 돌려 그를 바라보았다.

나를 바라보는 그의 두 눈동자는 점점 커지고 마치 숨을 못 쉬는 사람처럼 호흡을 멈췄다. 그리고 사지는 얼음조각처럼 딱딱하게 굳어버렸다. 한 손에 들고 있던 봉지는 중력을 버티지 못하고 바닥으로 떨어졌다.

그렇게 아무런 말도 하지 못하고 나를 바라보기만 하는 그는 다른 사람이 아닌 나였다.

아직 덜 태운 담배를 바닥에 던졌다. 담배에 붙어있던 불꽃이 팍하고 튀었다. 바닥에 떨어져 힘없이 연기를 내뿜는 담배를 발로 밟아 불씨를 꺼트렸다. 그리고 천천히 걸어 그의 앞에 당당하게 내 모습을 보여주었다.

“반가워요, 전 당신입니다.”

이전처럼 어떤 변명을 늘어놓을까, 또는 어떻게 그를 설득할까 하는 그런 걱정 따윈 하지 않았다. 어차피 그런 건 의미가 없다.

마치 이 분야에 있어서는 내가 베테랑인 것처럼 당당하게 그에게 내 소개를 했다. 악수를 청하기 위해 내민 내 오른손을 바라만 보면서 그는 침을 한번 삼켰다.

“저... 저... 저라.. 고요 ?”

아직 내 손을 잡지 못하고 떨리는 목소리로 계속해서 묻기만 할 뿐이다.

“네, 맞아요. 당신의 모르던 쌍둥이 동생이나 형도 아니고, 바로 당신입니다.”

모자를 벗으며 확실하게 내 얼굴을 보여주었다. 내 얼굴을 이 정도 보았으면 이젠 상황 판단을 했으면 싶지만, 그는 계속해서 질문을 이어갔다.

“왜... 뭐죠? 이게?”

그럴만했다. 너무나 당연한 반응이다.

“내가 꿈을 꾸고 있나?”

몇 번이나 자신의 볼을 쳤다. 그런 모습을 보며 악수를 청하기 위해 내밀었던 오른손을 들어 뺨 때릴 제스처를 취하며 그에게 물었다.

“도와드려요?”

“아, 아니요.”

경직되어있던 몸이 살짝 풀렸는지 뒷걸음쳤다. 하지만 이내 내게 좀 더 다가와 거울을 보듯 내 얼굴을 하나하나 뜯어보았다.

"와... 이건.. 정말... 저네요.."

나를 바라보면서도 긴장했는지 가쁜 호흡으로 입김을 내뱉고 있었다. 나에 대한 경계일까 호기심일까? 그는 주위를 몇 번 둘러보더니 자기 집 대문을 향해 나를 안내했다.

"일단 추운데 들어가시죠."

자기랑 똑같이 생긴 사람을 집에 들여놓아도 상관없다고 생각했을까? 그는 바닥에 떨어뜨린 봉지를 들고는 앞장서서 대문을 열고 들어갔다. 그의 뒤를 따라 머리가 문 위에 닿지 않도록 고개를 살짝 숙이며 대문을 들어섰다.

대문을 지나자 작은 마당이 눈에 먼저 보였다. 마당 모퉁이에는 텃밭이 있었는데, 그곳에 뭔가를 심어둘 준비를 하는 것 같았다. 겨울이라 아직 아무것도 자라있진 않았다. 텃밭 옆 담벼락에는 몇 개의 고동빛 항아리들이 놓여있었다. 그리고 마당을 가로지르는 빨랫줄이 내 눈 위로 보였다. 빨랫줄에는 낡은 빨래집게들이 걸려있었다. 빨랫줄에 머리가 닿지 않게 고개를 숙이며 녀석을 뒤따라갔다.

"할매 내왔따! "

그는 나와 대화할 때와는 다르게 사투리를 썼다. 집은 요즘에는 보기 힘든 한옥이었다. 하지만 완전한 한옥은 아니고, 중간에 공사를 한번 하면서 어느정도 현대화가 된 집이었다. 그렇다고 해서 신식으로 예쁘게 리모델링된 집은 아니었다. 허름했다. 처마 아래 마루가 그대로 있었다. 그리고 그 마루는 바닥에서 조금 높은 위치에 만들어져 계단을 살짝 올라가도록 지어져 있었다. 이런 형태를 뭐라고 하는지는 잘 모르겠다. 집 아래 돌들이 한 두 층 정도 쌓여있는 형식이라고 해야 하는 것 같다. 또 다른 나는 그 계단을 밟고 올라가 신발을 벗고 마루로 들어섰다.

집 안 거실엔 불이 켜져 있었다. 하지만 인기척은 느껴지지 않았다. 다만, 안방 쪽에서 TV 소리가 나는 것 같다. 마당에서 어렴풋이 들릴 정도면 꽤 크게 틀어 둔 것 같다. 그는 안방 문을 열어 고개를 들이밀었다.

“할매 뭐 보고 있는데?”

마당에서 바라본 모습으론 할머니가 어떤 모습인지 가늠이 가지 않았다. 난 천천히 마루 가까이로 다가갔다. 그러자 안방 안에서 그녀의 목소리가 들렸다. 의미없는 대화를 주고받던 그는 마루 가까이서 여전히 신발을 벗지 않고 서 있는 나를 한번 바라보았다.

“할매, 친구 왔다.”

그는 할머니에게 나를 친구라고 소개했다. 어떻게 보면 그 표현이 맞는지도 모르겠다.

나를 친구라고 소개한 녀석은 내게 마루 위로 올라오라고 손짓했다. 나는 신발을 가지런히 벗어두고 발을 마루에 내딛다가 멈췄다. 친구라고 소개한 남자가 손자와 똑같이 생겼는데, 이걸 어떻게 설명하려고 녀석은 올라오라고 하는 것일까? 내 흔들리는 동공은 그를 향했다. 하지만 또 다른 나는 전혀 개의치 않아 하며 나를 본인이 있는 쪽으로 끌었다. 조금 더 발걸음을 옮기자 할머니가 계시는 안방을 직접 볼 수 있었다. 그리고 그곳에 앉아서 고개를 이쪽으로 돌리고 있는 그녀를 볼 수 있었다.

맹인

그녀는 앞을 볼 수 없었다. 단지 내 인기척이 향하는 곳을 향해 몸을 돌리고 앉아있을 뿐이었다. 그녀의 뒤편에 켜져 있는 TV는 오직 소리를 듣기 위함일 것이다.

“친구가 왔다꼬?”

난 녀석의 눈치를 한번 살핀 후 인사를 했다.

“안녕하세요.”

그러자 그녀의 귀가 쫑긋하는 것이 느껴졌다. 하지만 바로 내 인사를 받아주지 않았다.

"방금 친구가 말한거가?"

아뿔싸. 우린 목소리조차 똑같았던 것이다. 그것을 인지하지 못하고 있었다.

"목소리가 똑같노?"

나는 다시 목소리를 조금 뭉그려서 말을 했다.

"네, 할머니 제가 말한거에요."

하지만 그녀는 또 귀를 쫑긋할 뿐 바로 대답을 하지 않았다. 아주 잠시 입을 벌린 채로 생각에 잠겨 있던 할머니는 말을 했다.

"어.. 희한하네. 다른 것 같으면서도 목소리가 비슷하노. 친구라 그런가...? 허허허허"

고개를 갸우뚱하며 웃으셨다.

"원래 끼리끼리 논다고, 비슷한 애랑 친구한다 아이가."

녀석도 조금 당황해서 변명을 늘어놓았다.

“밥은 저기 상에 차려놨으니까, 식기 전에 먹고 드가서 놀거라. 그 친구도 밥 안 먹었으면 같이 먹고. 밥솥에 밥 있다.”

어두운 부엌의 한구석에 좌식 철제 밥상과 그 위에 밥상 덮개가 덮여 있었다.

할머니는 다시 몸을 TV 쪽으로 향하게 돌렸다. 그리고 마치 TV를 보는 사람마냥 그곳을 바라보았다. 나와 똑같은 목소리를 가진 그는 안방 문을 슬며시 닫으며 밥상으로 몸을 옮겼다. 그러는 중간에 벽에 있던 스위치를 눌러 불을 켰다. 어두 컴컴했던 거실이 환해졌다. 어둠 속에서 명확히 보이지 않았던 밥상 덮개의 모양은 예쁜 꽃무늬였다. 그는 그 덮개를 한 손으로 들어 올렸다. 덮개 아래 갓 만들어진 된장찌개가 김을 모락모락 피워내고 있었다. 여기에 하얀 밥과 김치 그리고 김 그것이 전부였다. 하지만 맛있어 보였다.

“밥 안 먹었죠? 같이 먹어요.”

어느새 그는 밥 한 공기를 더 퍼와서 내 앞에 두었다. 그리고 숟가락과 젓가락을 내게 건넸다. 나는 잠시 수저와 그를 몇 번 번갈아 보고는 그것을 받아들었다. 그리곤 자리에 앉았다.

녀석은 배가 고팠는지 밥을 크게 한 숟가락 퍼서 입에 넣었다. 그리고 하얀 김을 만들어내는 된장국을 한 큰술 떠서 먹었다. 잠시 그를 바라보기만 하던 나는 군침을 삼켰다. 얼마 만에 먹어보는 누군가 만들어주는 밥인지 모르겠다. 엄연히 따지면 나는 죽었는데, 지금 차려진 밥상이 내 제사상 같기만 하다.

하얀 밥에 차가운 김치를 얹었다. 그리고 김을 하나 얹어 먹었다. 입에 밥을 오물거리면서 된장국을 떠서 마셨다.

맛있었다.

할머니가 만들어준 음식.

처음 먹어본 것이다.

60.

산과 들에 어둠이 내리면 묘하게 무섭다. 특히, 완전히 까매진 밤보다도 마지막 발악하며 저 산 뒤편에서 희미하게 빛을 내뿜는 해를 힘으로 억누르는 그 어둠, 파란 하늘이 남색의 짙은 하늘로 변하는 시간, 난 그 시간의 밤이 시각적으로 가장 무섭다. 하지만 또 묘하게 시선을 매료하는 아름다움이 존재했다. 무서움 속 아름다움이라고 할까? 사람을 유혹하는 악마가 있다면 저런 모습으로 다가올 것만 같았다. 그래서 가끔은 그 순간을 감상하고 싶었다. 하지만 나는 겁이 많은 아이였다. 그런 어둠을 당당히 맞서 볼 수 있는 방법은 한가지 밖에 없었다. 나를 완전히 보호해 줄 거라 믿는 장소에서 보는 것이다. 얇고 약해서 주먹으로 강하게 치면 깨져버릴 유리창이지만 그것을 사이에 두고 그런 어둠을 바라보면 마치 유리창이 그 어둠을 막아 나를 지켜줄 것만 같았다. 어쩌면 그 어둠을 막아주는건 나와 저 어둠 사이에 자리하고 있는 나약한 유리창이 아닐지도 모른다. 창문을 포함한 나를 감싸는 이 공간, 이 공간 속에서 숨어서 지켜보면 모든 것을 보호해줄 것 같은 기분이 들기 때문이다. 이 공간에 나 홀로 있다면 아마 여전히 무서웠을 수도 있다. 차가운 시트가 따뜻해질 만큼 오래 앉아있었고, 그리고 내 옆에 누나가, 운전석에는 아빠가, 엄마는 보조석에 앉아있기 때문일 것이다. 그래서, 그렇기 때문에 난 이 공간에서 보호받는다고 느끼는 것일 수도 있다. 보호받는다는 느낌은 나로 하여금 용기를 가지게 하고, 나를 무섭게 하는 저 어둠을 직시할 수 있게 했다. 좀 더 자세하게 바라보고, 그리고 가끔은 감상했다. 짙은 남색의 하늘과 그 아래 까맣게 변해버린 산 그리고 조명이 듬성듬성 켜진 집들.. 하나하나 바라보면 마치 이곳과 저곳은 다른 차원의 세상인 것 같았다. 그래서 저 어둠은 영원히 내 공간과 세상을 침범할 수 없는 것이었다.
차 안은 밖처럼 어두웠지만, 아버지가 틀어놓은 라디오 DJ의 예쁜 목소리 덕분인지 그것과는 다른 아늑한 어둠인 것 같다. 상냥하고 나긋한 그녀의 목소리는 이 차 안을 가득 채웠다. 이 따뜻함 또한 차 밖을 뚫고 나가지 않으리라, 이 까만 밤 속의 도로를 달리는 우리에게만 주어진 것일거라 생각했다.
그런 느낌이 좋았다. 그래서 나는 밤이 무섭지만, 가족과 함께 차를 타고 있을 때면 이 밤을 관망할 수 있었고 그것이 좋았다.

하지만 우리 가족이 타고 있던 자동차는 완벽한 방어막이 되지 못했다.

반대편 차선에서 가드레일을 치고 넘어온 트럭이 우리 차를 덮쳐버린 것이다. 엄청난 충격이 차량에 가해졌고, 내 몸이 순간 의자에서 뜨는 것을 느낄 수 있었다. 세상의 시간이 천천히 흐르는 것처럼 부서져 버린 유리 파편이 내 눈앞을 지나가는게 보였다. 그리고 어둠에서 휘몰아친 차가운 바람이 깨져버린 창문을 통해 내 머리카락을 휘저었다. 앞좌석에 앉아있던 부모님의 두 손이 허공을 향해 뻗는 것이 보였다. 그리고 찌그러져 가는 차가 보였다.

안전벨트 하나에 의지하던 내 몸은 상하좌우로 요동쳤다. 그리고 차가 더는 움직이지 않고 멈춰 설 때까지 나는 의식을 잠깐 잃었다. 귀에서 '삐'하는 소리가 들리는 상태로 조심스레 눈을 떴을 때 제일 먼저 보인건 내 옆에 박살 나버린 창문이었다. 저 먼발치에 잔뜩 내린 어둠과 나 사이엔 창문이 없었다. 나는 그 모습이 두려워, 힘을 내서 고개를 돌렸다. 피를 잔뜩 흘리며 의식을 잃은 아빠가 앞좌석에 보였다. 힘이 나지 않지만, 최대한 힘을 내서 아빠를 불렀다. 하지만 내 목소리는 라디오에서 나오는 그녀의 소리에 묻혀버렸다. 그리고 잠시 후 뒤에서 뭔가 한 번 더 쿵 하는 소리와 함께 충격이 가해졌고 난 의식을 잃었다.

내가 눈을 떴을 때 온통 하얀빛만이 보였다. 하얀빛 아래 아무것도 들리지 않고 아무것도 보이지 않았다. 내 숨소리만이 이곳에 존재하는 것만 같았다. 나는 죽은 것일까? 라는 생각을 하고 있을 때 내 귀가 점점 정상상태로 돌아오고 있었다. 주변의 소란스러운 소리가 머리를 울리듯이 들리기 시작한 것이다. 그러면서 초점 없던 내 두 눈도 조금씩 정상으로 돌아오고 있었다. 제일 먼저 보인건 하얀 조명이었다. 그리고 하얀 천장도 보였다. 천천히 숨을 내쉬며 주변을 둘러보기 위해 고개를 돌렸다.

응급실이었다.

교통사고로 나는 응급실에 온 것이다. 왜인지는 모르겠지만 나는 운이 좋게 많이 다치지 않았다. 하지만 그 사고로 나는 아빠, 엄마 그리고 누나를 잃었다.
내가 사는 세상과는 전혀 다른 세상이라고 생각했던 어둠은 나를 보호해주던 따뜻한 공간을 찢고 들어와 모든 것을 파괴했다.

나는 그렇게 9살의 어린 나이에 혼자가 되었다.

이후 나는 친할머니 집에서 살게 되었다.

할머니와 나는 내 가족이 함께 살던 집에서 뺀 전셋값과 사고로 나온 보험비로 생계를 연명할 수 있었다. 하지만 그렇다고 부유하게 살 수 있진 않았다. 그 사실은 어떤 계기가 있었기에 깨달은 건 아니다. 그냥 내가 사는 이 집과 밥상에 올라오는 반찬 그리고 내가 입는 옷 등 날 감싸고 있는 이 공간과 환경이 자연스럽게 알려주었다.

내가 초등학교 5학년일 때의 일이다. 건전지를 넣으면 삐융삐융 소리를 내며 괴물들을 무찌르는 멋진 로봇 장난감이 우리 또래에 유행했다. 그 로봇이 어떤 로봇이냐 하면, 검은색 갑옷 같은 다부진 몸매를 가지고 레이저 광선을 쏠 때면 눈에서 번쩍번쩍하며 빛을 냈다. 그리고 적을 향해 걸어가는 움직임은 내 또래 아이들의 관심을 끌기에 충분했다. 어느 날 학교에 반 친구 녀석 하나가 그 로봇을 들고 왔었다. 장난감에 큰 욕심이 없던 나였지만, 이

장난감에는 완전히 매료되었다. 하지만 방에서 소일거리를 해서 돈을 버는 할머니에게 그것을 사달라고 하는 것은 무리였다. 그래서 이번에는 크리스마스에 선물로 이 로봇을 달라고 산타할아버지에게 기도해야겠다고 마음먹었다. 지금까지 나의 크리스마스 목표는 선물이 아니라 산타할아버지를 보는 것이었다. 그래서 산타할아버지를 만나고 싶다는 생각으로 뜬 눈으로 밤을 지새우려고 노력하다 잠들어버리기도 했었다. 그러면 다음 날 아침에 자그마한 선물이 놓여있을 뿐이었다. 하지만 이번에 내 목표는 달랐다. 저 로봇 장난감을 가지고 싶었다. 그래서 크리스마스 때까지 울음도 참고, 할머니 말씀도 잘 들었다. 그리고 매일 밤 기도했다. 로봇 장난감을 선물로 달라고. 그리고 이브날 혹시나 일찍 잠들지 않으면 나쁜 어린이라고 생각해서 그 로봇 장난감을 주지 않을까 봐 로봇 장난감을 선물로 달라고 기도하면서 일찍 잠자리에 들었다.

하지만 다음 날 아침에 놓여있는 것은 로봇 장난감이 아닌 문구류 세트였다. 연필과 로봇이 그려진 겉표지의 노트와 스케치북 등이었다. 눈물이 났다. 그래서 울었다. 할머니가 내게 그것을 쥐여줄 때 나는 그것을 던져버렸다. 그리고 나는 처음으로 할머니한테 혼났던 것 같다.

돌아오는 월요일 학교에서는 친구들이 크리스마스 때 선물로 받은 그 로봇을 너도나도 들고 와서는 자랑했다. 그랬다. 산타할아버지는 내 소원만 들어주지 않았다. 그날 이후로 나는 산타할아버지라는 존재를 믿지 않게 된 것 같다. 또한, 왜 내가 그 로봇을 가지지 못했는지는 그 이후에 너무 잘 알게 됐다. 그때부터 나는 학업보단 돈을 벌어야겠다고 생각한 것 같다.

61.

눈을 뜨자마자 나를 맞이한 건 오랜만에 겪는 숙취였다. 머리가 지끈지끈 아파 일어나자마자 곡소리를 냈다. 온몸에 철근을 두른 것같이 몸이 무거워 아주 힘겹게 일으켰다. 방바닥에 이불 하나를 깔고 두꺼운 이불을 덮고 잠들었나 보다.
어제저녁 녀석과 술을 한잔하며 이런저런 이야기를 나눴다. 한잔 두잔 기울이며 그가 내게 던진 말들은 자신에 대한 이야기였다. 어떻게 살았으며, 왜 할머니와 단둘이 지내게 되었는지에 대한 슬픈 이야기였다. 나를 두려움의 대상이 아니라 대화할 친구로 여겼는지, 자신의 이야기에 대해 서슴없이 이야기했고 난 그의 삶을 어느 정도 알 수 있게 되었다. 나보다 더 슬프면 슬프고 비극적이라면 비극적인 이야기지만, 내게 이야기하는 내내 눈빛은 빛났다. 오랜 친구를 마주하고 술을 마실 때의 느낌 같았다.

머리가 아팠다.

괜히 머리를 몇 번 툭툭 쳤다. 그리고 주위를 둘러봤다. 벽에 걸려있는 옷걸이에 낡은 겉옷들이 걸려있었다. 그리고 방 한구석에는 오래되어 보이는 통기타 하나가 벽에 기대어져 있었다. 책상과 의자 그리고 그 위로 책들이 보였다.

내 발 끝자락에는 우리가 어제 술을 기울이던 단상이 빈 술병들과 함께 그대로 놓여있었다. 그리고 그 술병 중 한 곳에 포스트잇으로 뭔가 메모가 적혀 있었다. 나는 무거운 몸을 움직여 그것이 무엇인지 보기 위해 다가갔다.

'친구, 부탁 하나만 할게. 내가 바빠서 할머니를 데리고 산책을 못 한지 오래야. 시간이 된다면 할머니와 산책 한 번만 다녀와주라. 책상 위에 모자랑 마스크 뒀으니깐, 꼭 착용하고 나가. 술값이라 생각하고 한 번만 해줘'

자신의 할머니와 산책을 다녀와 달라는 부탁의 내용이었다. 그리고 그는 정말 나를 친구로 생각하나 보다.

이불을 치워내고 자리에서 일어났다. 그리고 그가 말한 책상 위를 바라보니 책 말고도 일회용 마스크와 검은색 모자가 놓여있었다. 그걸 바라보며 어떻게 해야 할지 잠시 생각에 잠겼다. 일단, 아침 인사도 드릴 겸 할머니를 마주해야 할 것 같다.

내 세상에서 할머니는 내가 태어나기 전에 돌아가셨다. 그래서 할머니에 대한 기억은 전혀 없었다. 그래서인지 그녀가 궁금했다. 그녀와 대화를 하고 싶은 것일까

나는 문을 열고 나갔다. 문 여는 소리를 들으셨는지 안방에서 그녀의 목소리가 들렸다.

"일어났는교?"

구수한 사투리와 함께 깨랑깨랑한 목소리가 거실을 넘어 내가 있는 방까지 들렸다. 나는 거실을 거쳐 그녀 방이 있는 곳으로 다가갔다.

"네, 할머니 안녕하세요."

인사를 건넬 때 잊지 않고 목소리를 조금 다르게 내었다.

"네에, 부엌에 밥 차려뒀으니까 잡수소. 입맛에 맞을란가 모르것네."

하며 그녀는 허허하고 웃었다. 그녀의 말에 나는 고개를 돌려 부엌을 바라보았다. 어제저녁처럼 철제 반상 위에 식탁 덮개가 덮여 있었다.

"창호가 한동안 여기서 지내다 갈거라 카든데?"

창호는 또 다른 나의 이름이었다. 어제 술 한잔하며 그가 내게 소개할 때 자신을 김창호라고 소개했었다.

"아.. 네 맞아요. 신세 좀 지겠습니다."

어떨결에 이 집에서 좀 더 지내게 되었다.

"허허허, 창호 친구인데 편하게 지내이소."

"감사합니다."

앞을 보지 못하는 그녀를 향해 살짝 고개를 숙이며 인사를 건넸다. 그리고 밥상으로 걸어가 앉았다.

꽃무늬로 예쁘게 자수가 놓아져 있는 밥상 덮개를 들추자, 그곳엔 조금 식은 밥과 된장국 그리고 차가운 김치가 놓여져 있었다. 밥 위에 김치를 얹어 한 숟갈 먹었다. 그리고 미지근한 된장을 한입 삼켰다. 된장의 특유한 짠맛과 김치의 매운맛이 입안을 감쌌다. 어제저녁과 별로 다를 것 없는 음식을 나는 또 맛있게 먹어치웠다. 밥을 먹고나니 무거웠던 몸의 피가 돌아서인지 머리 아픈 것도 조금 가시고 힘이 조금 났다.

식사를 마치고 배가 불러 잠시 그대로 앉아 마당 쪽을 바라보았다. 이 집 청년이 둔 것인지, 아니면 노인이 둔 것인지 모를 고동색 항아리가 벽면에 서 있었다. 그리고 그 아래 아무것도 피지 않은 텃밭이 겨울 사막을 보는 것 마냥 휑하게 있었다. 빨랫줄에 아무것도 걸려있지 않은 것이 뭔가 이곳을 더욱 쓸쓸하게 만들었다. 하늘엔 구름이 잔뜩 껴 있었다. 집 안에서 바라보는 밖은 햇볕 하나 없는 추운 겨울 그 자체였다.

밖을 바라보던 내 시선은 TV를 틀어 두고 앉아있는 그녀의 방 쪽으로 향했다. 잘 보이진 않지만, 문틈으로 그녀가 두꺼운 옷을 겹겹이 입고 앉아 있는게 보였다. 집은 그렇게 춥진 않았지만 그렇다고 뜨뜻한 상태도 아니었다.
해가 져서 좀 더 추워지기 전에 그녀와 함께 산책하기 위해 자리에서 일어났다.

내 발걸음 때문에 나무로 만들어진 바닥이 삐걱삐걱했다. 그 소리에 그녀가 먼저 반응해 문 쪽으로 고개를 돌렸다.

"할머니, 저랑 같이 산책... 가실래요?"

나의 이 말에 그녀는 환하게 웃으며 답했다.

"아이, 뭔 갑자기 산책이요?"

"아, 뭐.. 배도 부르고 해서 좀 걸으려고 하는데, 같이 가시지 않으실까 해서요."

일부러 창호에 대한 이야기는 하지 않았다. 그녀는 주섬주섬 일어나 옷을 챙겨 입고 지팡이를 챙겼다.

“내가 눈이 이래가, 쉽지 않을 텐데요.”

그러면서 방문 밖으로 그녀가 나섰다. 천천히 걸어 나와 마루에서 신발을 신던 그녀에게 내가 먼저 손을 내밀었다.

“걱정 마요. 제 손 잡으시면 아무 일도 없을 거에요.”

“손만 잡는다고 되는게 아니라, 나 같은 사람은… ”

무슨 말인지 몰라 그녀 앞에 서서 손만 내밀고 있었다.

“안보이니까, 하나하나 설명을 해줘야된다카이. 문턱이면 문턱이 있다. 돌턱이면 돌턱이 있다. 눈 있는 사람하고 똑같다고 생각하면 안 되요. 보통 일이 아닐낀데…”

하며 그녀는 웃으며 말했다. 그 말에 허공에 멍청하게 가만히 떠 있는 내 손이 참 바보 같아 보였다. 좀 더 적극적으로 그녀의 손을 잡았다.

“네, 가시죠. 안전하게 모시겠습니다.”

그렇게 말하며 그녀를 에스코트했다.

62.

할머니와의 단둘만의 시간은 처음이었다. 이 세상에 와서 생각지도 못한 할머니와의 만남에 그녀와 해보지 못했던 것을 많이 하게 되었다. 할머니가 차려준 밥도 먹어보고, 그녀와 대화하고 이렇게 손을 잡고 산책도 하게 됐다.
할머니의 손은 쭈글쭈글하고 거칠었다. 나이가 들어서인지, 아니면 고된 세월의 흔적인지는 잘 모르겠다. 어쩌면 둘 다일 수도 있다.
그리고 발걸음이 참 느렸다. 나이 때문일 수도 있고 키가 작아서일수도 있다. 어찌 됐던 그 발걸음에 맞춰주기 위해 노력했다.
우린 근처 가까운 강변을 향해 걸어갔다. 강변에 다다르니 겨울바람이 강변을 타고 우리에게 틈마다 날아와 몸 구석구석의 온기를 빼앗으려 했다. 그럴 때마다 그녀와 난 더욱 쎄게 손을 부여잡았다.

별다른 말 없이 걸어가던 우리 사이에 대화를 먼저 시작한건 그녀였다.

"강에 물이 많아요?"

그 질문에 또 아차 했다. 나는 당연하다는 듯이 보고 있던 것들이 그녀에겐 보이지 않는다는 것을 인지하지 못하고 있었다.

"겨울이라 그런지 많지는 않아요. 그냥 적당히 있는 것 같아요."

거기에 더해 괜히 물에 떠다니는 청둥오리를 가리키며 말했다.

"청둥오리 무리가 물에 떠있네요."

"허허허, 겨울이긴 한갑네."

내 말에 보이지도 않으면서 마치 눈에 보이는 것처럼 시선을 그곳으로 향했다. 그래서 괜히 저게 보이는가? 하며 그녀를 유심히 한 번 더 바라보았다.

"손이 참 곱네"

그녀가 잡고 있던 내 손을 만지작하며 말을 했다.

"손이.. 우리 창호랑 비슷한데, 우리 창호랑은 다르게 보들보들 하이.. 집에서 사랑받으면서 자란는갑네."

나는 괜히 할머니의 손을 잡고 있던 내 손을 바라보았다. 까무잡잡하고 거칠어 보이는 그녀의 손과 대비되게 내 손은 하얬다.

“근데 희한하네..”

시선이 느껴진 것인지 할머니는 잡고 있던 손을 잡아당기면서 내게 뭔가 비밀을 말하듯이 이야기했다.

“이 손이 창호랑은 다른데.. 손 모양이나 크기가 똑같다카이.. 그리고... 그짝 풍채나 느낌 같은게 우리 창호랑 와이리 똑같은지 모르겠다카이.. ”

그러면서 손으로 내 등을 몇 번 쓰다듬었다.

“목소리도 조금 다른 것 같으면서도 비슷한 것 같기도 하고... 허허허 희안하데이... 이름이 뭐라요?”

갑작스럽게 물어본 이름에 순간 당황했다. 원래 내 세상에서의 내 이름을 말해야 하는건가 하고 잠시 고민했다. 하지만 그러고 싶지 않았다. 그냥 그 이름을 입에 담고 싶지 않았다.

“이수찬이요. 이수찬이라고 해요. 할머니.”

그래서 난 또 다른 세상에서 내가 만난 그 녀석의 이름을 댔다.

“이.. 수찬... 이름 좋다. 이쁜 이름이네요.”

할머니는 잠시 내 이름을 곱씹는 것 같은 표정을 지으며 웃었다. 웃는 얼굴을 보면서도 감긴 두 눈을 보니 마음이 아팠다. 할머니의 눈은 하늘을 담지 못하며 깊은 강물에서 자유로이 헤엄칠 수도 없을 것이다... 사랑하는 손주의 얼굴도 기억할 수 없다. 하지만 그녀는 이 길을 걸으며 웃고 있었다. 과연 저 웃음은 진짜 웃음일까? 아니면 슬픔을 감추는 웃음일까? 그것도 아니라면 그저 깊은 우물 속에 갇혀버린 웃음일까.
그녀의 삶은 어땠을까? 남들은 당연하게 누리는 자유를 누리지 못하고 어두운 방에 갇혀 지낸 그 삶. 과연 나는 그 삶을 이해할 수 있을까? 과연 내가 똑같은 상황이라면 할머니의 나이까지 살아갈 수 있었을까?

이러한 궁금증에 그녀가 어떻게 살아왔는지에 대해 묻고 싶었지만, 그러지 않기로 했다. 그 대신 다른 것을 묻기로 했다.

“할머니, 할머니는... 소원이 뭐에요?”

소원이 뭐냐는 질문에 할머닌 잠시 허허허 웃었다. 난 그 웃음의 의미를 알 수 없었다. 그녀는 아무 말 없이 가만히 있다가 천천히 숨을 내쉬듯 입을 열었다.

“다아.. 늙어서 무슨 소원이 있겠어요? 단지, 뭐.. 좀 욕심 부리자카면 우리 창호, 예쁜 아가씨랑 결혼하는거 보는거... 그게 내 소원이겠네.”

“그게 다에요..? 뭐 소원인데.. 그.. 두...”

‘두’까지란 말이 나왔다가 나머지 단어들은 목 너머로 삼켰다. 당연히 그거라고 생각했는데, 두 눈이 보이게 해달라는 것. 만약 신에게 소원을 빈다면 당연히 그것이라 생각했다. 현실적인 소원을 말해달라고 이해한 것일까? 그래서 다시 물었다.

“신이 이루어주는 소원이라도요?”

그녀는 고개를 끄덕였다.

“죽기 전에 우리 창호 결혼식 볼 수 있으면 그것보다 더 좋은게 뭐가 있겠스요.”

좋다. 그렇다면 나도 좀 더 현실적으로 다가가야겠다.

“결혼하려면 돈이 많이 필요하잖아요. 그럼 차라리 소원으로 돈 많이 벌게 해달라고 빌면 더 좋지 않을까요?"

내 말에 또 그녀는 허허허하며 웃었다.

"돈이 많으면야 좋지. 근데, 돈은 중요치 않타카이.. 사람이 중요하고 마음이 중요한 것이지..."

"결혼식 하는데만 돈이 얼마나 드는데요. 그리고 신혼집 구하려고 해도 돈이 필요하고, 자식 키우는 것도 돈이고... 애초에 돈 없는 남자는 여자분들한테 인기 없어요. 그럼 결혼도 못하죠."

라고 말하고는 약간 멈칫했다. 너무 창호를 무시하는 것 같은 말을 한 것만 같다. 하지만 내 말에도 그녀는 전혀 기분 나빠하는 기색이 아니었다.

"돈이 있으면, 신혼집 살림 하는 것도 좋코.. 다 좋컸지요. 근데, 돈만 바라고, 그게 삶의 기준이 되면 언젠가 욕심이 돼요. 그 욕심이 커져서 과해지면 본인을 잃고 말아요. 그러니깐 계속 남만 바라보고 살게 되죠. 인생에 '내'가 없으니, 다른 사람을 계속 채워 넣는거에요."

정확히 그녀의 어떤 말에서 화가 났는지는 모르겠다. 그런데 그녀가 선택한 하나하나의 단어 속에서부터 알 수 없는 불길이 가슴속 저 깊은 곳에서 피어오르는 것 같았다. 뭐라고 더 이야기하려 했지만, 다 늙어 죽어가는 사람이라 쓸데없는 말만 그럴싸하게 하는 거라며 애써 내 마음을 달랬다. 하지만 이상하게 여전히 마음에 들지 않았다. 원하는 답변이 나오지 않아서일까? 아니면 내 세상에서 내가 가지고 있던 가치관을 위해 열심히 살아온 내 삶이 부정당한 느낌 때문일까? 알 수 없었다.

우린 조금 더 걷다가 집으로 돌아왔다. 집을 돌아온 후 난 혼자서 가만히 선 채로 발가락으로 바닥을 톡톡톡톡 치며 창호의 방을 둘러보았다.

5평 정도 되려나? 그 정도 크기의 방에 의자와 책상 그리고 책상 옆에는 책장이 놓여있었다. 책상 위에는 얼마나 읽었는지 겉표지가 낡고 구겨진 공무원 시험 책이 있었다. 책장에도 공무원 시험 관련 서적들이 잔뜩 채워져 있었다. 벽에는 붙박이 옷걸이가 있었고, 그곳엔 낡은 겉옷들이 걸려있었다. 이 좁은 방구석에 이불과 옷이 들어있는 붉은 갈색빛 옷장이 보였다. 나무로 만들어진 것인데, 이것도 오래된 것인지 겉에 칠한 유약들이 거의 다 벗겨진 상태였다.

뭐 얼마나 욕심을 줄이면 되는데..?

이 정도에 만족하면 되는 거야?

이수찬의 집에서 봤던 그의 방을 떠올렸다.
깔끔하게 정리된 책상 위 비싼 컴퓨터 그리고 그 옆 벽면에 자리한 책장. 그 책장 위에는 그가 받은 수많은 상과 비싸 보이는 모형 그리고 책이 진열되어 있었다. 그건 그의 서재일 뿐이었다. 드레스룸은 또 어떤가? 마치, 고급 옷가게를 보는 것처럼 깔끔하게 진열된 옷들과 그 중앙에 유리로 된 악세사리 진열장에는 비싼 시계와 보석들이 번쩍번쩍하며 자리하고 있었다.

김창호의 방구석에 박혀있는 낡은 기타를 보았다. 그러자 이수찬의 집에 있던 개인 녹음실이 생각났다. 피아노, 기타, 베이스 등 비싼 악기들이 있고, 녹음기기와 음향기기도 모두 잘 배치되어 있었다. 하지만 여긴 저 통기타 하나뿐이었다.

어젯밤 창호와 술을 마시며 그에게 물었었다.

'저 기타는 뭐에요?'

'아 저거 제가 종종 혼자서 기타 연습해요. 취미로.. 히히. 낭만있지 않아요?'

그러면서 웃는 그의 모습이 떠올랐다.

낭만? 좆 까는 소리다.

다 쓰러져 가는 좁은 집에서 저따위 낡아빠진 기타 치는게 낭만이고 멋인가? 그것이 잘난 할망구가 말하는 자신의 삶을 살아가는 건가? 아니다. 그건 자신의 삶을 살아가는게 아니라 세상에 버려지고 퇴화하고 있는 자신에게 씌우는 안대일 뿐이다. 낡은 통기타 따위나 치며 아무것도 보지도 듣지도 못하는 척하며 죽어가는 멍청한 패배자일 뿐이다. 성공한 그들은 그런 너희를 보며 평생 그렇게 살기를 바라며 비웃고 있단 말이다. 그런데도 그딴게 좋다고 '히히'거리며 소주에 싸구려 안주를 먹는 너나, 아무것도 보지 못하면서 다 보이는 것처럼 떠드는 할망구는 그저 현실을 외면하는 불쌍하고도 어린 양일 뿐이다.

난 걸어가 구석에 세워져 있던 낡은 기타를 한 손으로 거꾸로 들어 올렸다. 그리고 잠시 그 쓰레기를 바라보았다.

그리고 이내 낡은 기타를 힘껏 책상에 내려쳤다.

기타가 책상에 부딪히며 요란하고 날카로운 소리를 내며 부서졌다. 부서진 파편들이 여기저기 튀었다. 기타가 박살 나는 동시에 책들은 바닥에 내동댕이쳐지고 낡은 책상은 조금 부서졌다. 난 한 손으로 빌어먹을 공무원 책을 집어 던졌다. 집어 던진 책이 옷장에 맞고 바닥으로 툭 하고 떨어졌다. 두꺼운 책에 맞은 옷장은 부서지면서 움푹 파였다. 기타를 좀 더 크게 휘둘러 옷장과 의자를 마구 치기 시작했다. 가구들이 부서지는 소리가 집 전체에 크게 울렸다. 그 울림이 내 가슴속 깊은 곳의 불길을 더욱 지피는 것 같았다.

"이 시발!! 낭만 좆 까고 있네!!! 멍청한 새끼들아!!!"

가슴속 깊은 곳에서 피어오르던 불씨는 분노로 바뀌어 주체할 수 없이 솟아 그의 방을 다 때려 부수고 있었다. 그 소리가 안방까지 들렸는지 밖에서 그녀의 목소리가 들렸다.

"뭔 소리고?!"

안방 문이 열리는 소리가 들렸다. 거친 숨을 몰아쉬며 부서진 가구들과 찢어진 책들로 어질러진 방을 바라보았다. 내 손엔 부서진 기타의 남은 부분이 들려있었다. 통기타가 부서지면서 그 끝이 마치 칼처럼 날카롭게 되어있었다.

그녀가 발을 옮길 때마다 거실에 깔려있는 나무 바닥에서 삐걱삐걱하는 소리가 들렸다. 이쪽으로 걸어오고 있는 소리였다.

불쌍하고 어린 양을 구원해야 할 때가 온 것 같다.
바보 같고 멍청하지만 선한 그들..
무지하고 아무것도 모르는 불쌍한...
그들을 내가 구원할 것이다.

그것이 내가 이곳에 온 이유고 해야 될 일이다.

두려워 말라.

난 그대들을 위한 구세주이니라.

63.

할머니는 항상 분홍색 보자기에 한쪽 끝을 당기면 쉽게 풀리도록 매듭지어 도시락을 싸주셨다. 매듭 끝을 살짝 당겨 보자기를 풀어보면 빨간 도시락이 있었다. 그 빨간 도시락을 열면 한쪽에는 반찬이 있었고, 다른 한쪽에는 하얀 밥이 들어있었다. 오늘도 역시나 할머니는 손주가 좋아하는 비엔나소시지를 넣어주셨다. 평소라면 밥 한 숟가락에 소시지부터 입에 넣겠지만 오늘은 그러지 않았다. 소세지에는 젓가락질을 하지 않았다. 소시지를 빼면 콩자반에 차가운 김치 그리고 김이 전부였지만, 무언가를 기대하는 나에겐 즐거운 식사시간이었다. 사실 식사시간이 즐겁다기보다는 식사를 마치고 난 후 내가 기대하는 시간이 나를 즐거운 상상의 나래로 빠져들게 하고 있었다. 서둘러 식사를 마치고 비엔나소시지에 물을 부었다. 그리고 그것을 열심히 물로 헹궈내서 오른손에 부서지지 않도록 움켜쥤다. 그 양이 생각보다 많았다. 도시락을 대충 덮어두곤 여유로운 척, 아무것도 신경 쓰지 않는 척하며 공장 밖으로 걸어나갔다. 이 시간이면 밥 달라고 나를 기다리는 녀석에게로 갔다. 역시나 놈은 그곳에 앉아있었다.

“옳지, 오늘도 있구나.”

길고양이 녀석이 내 손에 움켜쥔 먹을 것을 보았는지 야옹 하며 내게 다가왔다.

“오늘은 많으니깐, 천천히 꼭꼭 씹어 먹으렴.”

내 바램이 그에게 전달될지는 모르겠지만, 그것이 안 된다면 물리적으로라도 그렇게 만들 수 있었다. 최대한 천천히 하나씩 하나씩 소시지를 주는 것이었다.

한 개
두 개
세 개
.
.
.
내 손에 있던 소시지가 점점 줄어들수록 조바심이 났다.

제발 제발 제발..

그때 내 뒤편으로 누군가의 인기척이 느껴졌다. 일부러 신경 쓰지 않는 척하며 고양이만 바라봤다. 하지만 나의 온 신경은 그쪽을 향해 있었다.

그 사람이 다가온다.

모랫바닥을 밟을 때 나는 소리가 점점 크게 들려왔다. 나에게 가까이 다가옴을 알 수 있었다. 그리고 곧 그 사람이 내 곁으로 올 것이다. 심장이 콩닥콩닥하면서 그곳에 집중했다. 그리고 이내 내 시선에 그 모습이 나타났다.

그냥 지나가는 할아버지였다.

지팡이에 몸을 의지해 총총총 걸어가는 할아버지의 뒷모습을 허탈하게 바라봤다.

“오늘도 밥 주나 봐요?”

그때 뒤에서 목소리가 들렸다. 나는 너무 놀라 그대로 엉덩방아를 찍어버렸다. 뒤돌아보자 그녀가 어느새 내 뒤에서 고개를 숙이고 말을 걸었다. 그러면서 한 손으로 긴 머리카락을 귀 뒤로 쓸어

넘겼다. 오늘따라 유난히 빛나는 그녀의 모습에 당황해 엉덩이가 아픈지도 모르고 그대로 바라볼 수밖에 없었다. 넘어진 내 모습에 약간은 놀라며 그녀가 말을 이었다.

"괜찮아요?"

급하게 엉덩이를 털고 일어났다. 그러면서 멍청하게 내 손에 쥐어진 소시지를 모두 놓치고 말았다. 몇 개 남지 않은 소시지를 고양이는 허겁지겁 먹기 시작했다. 마치 그것은 그녀와 내가 함께할 수 있는 시간을 타이머로 재는것만 같았다.

"아, 잠시만요. 그게 아니라."

뭐가 그게 아니란 말인가? 고양이한테 한다는 말이 그녀를 보며 해버렸다.

"네?"

"하하하, 그게 아니라 밥을 주는게 아니라 주인님에게 바치는 겁니다."

이 상황을 해결하기 위해 어색한 웃음에 쓰레기 같은 농담을 던져버렸다. 하지만 이런 쓰레기 같은 농담에도 그녀는 웃어주었다.

“아, 맞네요. 고양이가 주인이죠.”

어색해서 괜히 이마를 한번 긁적였다. 이후 아무런 말 없이 서로 가만히 서 있을 뿐이었다. 그러면서 녀석이 소시지를 몇 개나 먹었나 봤더니, 어느새 마지막 한 개만 남아있었다. 뭔가 한마디라도 그녀와 말을 더 섞고 싶었지만 무슨 말을 해야 할지 생각나지 않았다. 머리를 쥐어뜯고 때리면서 생각해내고 싶었지만, 그저 아무렇지 않은 척 어색한 웃음만 지으며 고양이를 바라볼 뿐이었다.

“나비야 그렇게 많이 먹으면 뚱냥이가 돼.”

그녀 또한 내게 할 말을 찾지 못해서 말하지 못하는 고양이에게 대화를 걸고 있었다. 하지만 녀석은 본인이 먹을걸 다 먹자마자 잘 먹었다고 ‘냐옹’ 한마디 하고는 뒤도 돌아보지 않고 자기 갈 길을 가기 시작했다. 타임 오버였다. 요염하게 걸어가는 그 엉덩이가 오늘따라 더 얄미웠다.

애교라도 좀 부리고 가지... 오늘은 소시지도 많이 줬는데...

팁을 줘도 인사도 제대로 하지 않고 휙 가버리는 웨이터 같았다. 우린 녀석이 건물 코너를 돌아가 사라질 때까지 바라보기만 할 뿐이었다.

"그럼 저 먼저 들어가 볼게요."

고양이가 없어지자 그녀도 인사를 건네며 공장 안으로 걸어 들어가 버렸다.

망했다.

좀 더 오래 많은 대화를 하고 싶었는데, 엉덩방아 찍고 어버버하다가 시간을 다 보내버렸다. 깊은 한숨을 쉬며 하늘을 바라봤다. 먹구름이 잔뜩 끼어있었다.

"눈이면 좋겠는데.. 비가 오려나"

이미 내 마음속에는 가랑비가 내리고 있었다. 잠시 차가운 바람을 맞으며 몸을 떨다가 공장 안으로 몸을 피했다.

업무가 시작된 공장 안은 기계 소리로 가득 메워졌다. 업무 특성상 일하면서 직원들 간에 서로 대화할 필요는 크게 없었다. 가끔 공장장이 직원에게 고함을 치기는 하지만 그 소리가 그렇게 크게 느껴지진 않았다. 자주 있는 일이었기에, 당사자가 아니고선 그렇게 신경도 쓰지 않았다. 우린 서로 자신이 해야 할 일을 묵묵히 해내고 있을 뿐이었다. 나도 그랬다.

간단한 용접을 시작한 지는 얼마 되지 않았다. 끈 같이 긴 두 개의 철을 하나로 붙이는 작업이다. 용접할 때 파바바박 하고 불꽃이 튀는 것이 폭죽놀이를 보는 것만 같아서 시각적으로 재미있었다. 태초엔 하나가 아니었던 둘이 파바박 하고 불꽃이 튀더니 하나로 붙는게 마치 눈맞은 남녀 같기도 했다. 남몰래 이런 생각을 하며 일에 재미를 붙이는 것을 누군가 알게 된다면 미친놈이라 할지도 모르겠다. 하지만 뭐가 어찌됐던, 내게도 이런 용접이 필요했다. 누군가 그녀와 날 이렇게 용접해주었으면 좋겠다.

파바바박 하고 말이다.

괜히 용접하다 멈춰 그녀가 업무하고 있을 사무실 쪽 문을 바라보았다. 그 문이 오늘따라 넘을 수 없을 것만 같은 큰 성벽 같았다. 그녀의 모습은 보이지 않지만 아쉬워서 잠시동안 그 성벽을 바라보았다. 그러다 공장장의 호통 소리가 내게로 향할까 다시 업무에 집중했다.

.

.

.

퇴근 시간을 알리는 종이 울렸다. 다행히 오늘은 일이 많지 않아 초과근무를 할 필요가 없었다. 애초에 나 같은 현장 계약직은 야근을 잘 시키지 않았다. 종종 성벽 같은 사무실에서는 밤늦게까지 빛을 밝히고 있긴 했다. 그래서 퇴근 시간에 그녀를 만나는 일은 잘 없었다.

먼지 묻은 옷을 대충 털어내고 겉옷을 갈아입었다. 작업 할때만 입는 낡은 점퍼가 있다. 물론 갈아입은 옷이라고 해서 그렇게 좋은 옷은 아니다. 서랍에 낡은 옷을 던져두고 가방을 챙겼다.

"수고하셨습니다."

하나 둘 서로에게 영혼 없는 인사를 건네고 집으로 향했다. 누군가는 집에서 가족이 기다리고 있을 것이고, 누군가는 아무도 반겨주지 않는 깜깜한 집에 소주 한 병을 사 들고 들어갈 수도 있다. 일을 마치고 돌아간 집, 그곳에서 나를 반겨주는 이가 아무도 없다면 어떤 기분일까. 이 세상에서 내 사람이 아무도 없다면 어떨까. 생각만 해도 끔찍했다. 내겐 다행히 할머니가 있었다. 비록 대문을 들어섰을 때 집에 불이 꺼져있어 잠시 아무도 없는 것처럼 느껴지기도 하지만 이내 나를 반기는 할머니의 목소리가 안방에서 흘러나왔다.

공장에서 버스정류장으로 가는 퇴근길은 조금 어두웠다. 왼쪽으로는 공장들이 들어서 있고 오른쪽에는 논이 있는데, 그나마 왼쪽에는 공장들 때문에 조명이 조금 있지만 논 쪽에는 아무런 빛도 없었다. 논 위로 어둠이 내린 하늘을 바라보면 무섭기도 했지만, 그 어둠 속에서 빛나는 별은 아름다웠다. 그런데 오늘은 구름이 껴서인지 별이 하나도 보이지 않았다.

혼자 터벅터벅하며 비포장 된 길을 걸어가는데 뒤에서 누군가의 발걸음 소리가 들렸다. 또 할아버지인가 하고 뒤로 돌아보았다.

자그마한 손가방을 든 그녀가 이쪽으로 걸어오고 있었다. 검은색 정장 위에 흰색 패딩을 걸치고 있었다. 신발은 검은색 단화였다. 나는 가만히 서서 모랫길 위를 사뿐사뿐 걸어오는 그녀를 바라보았다. 그런 나를 그녀도 보고 있었다. 전혀 생각지도 못한 상황에 가슴이 조금씩 뛰기 시작했다. 하얀 입김을 내쉬며 그 자리에 서서 그녀가 내게 올 때까지 기다렸다.

"퇴근하시나 봐요?"

내가 먼저 웃으며 그녀에게 말을 건넸다. 그러자 그녀도 미소를 지으며 내게 답했다.

"네, 오늘은 조금 일찍 가게 됐네요."

"매번 이쪽으로 가세요..?"

이 길은 밤이 되면, 특히, 겨울밤이면 굉장히 어둡기 때문에 약간은 걱정스러워 물었다.

“아, 네. 저쪽에서 버스를 타야 돼서 이쪽으로 가요.”

“여긴 너무 어두운데, 위험해요.”

그러면서 우린 자연스럽게 같이 버스정류장 쪽으로 천천히 걸어가기 시작했다.

“괜찮아요. 저 싸움 잘해요.”

그녀가 작고 하얀 주먹을 들어 올리며 내게 말했다. 원래 유쾌한 성격인지 아니면 나랑 몇 번 대화를 해봐서인지 그런 농담을 던졌다.

“오.. 그렇군요. 사실 저는 싸움을 잘 못해서 수빈씨 같은 분이 필요했거든요. 잘 됐네요, 퇴근할 때 같이 가요. 저 좀 지켜주세요.”

“네? 하하하”

내 농담이 통했는지 그녀는 입을 가리면서 웃었다.

"근데 제 이름 기억하시네요?"

그녀가 처음 우리 회사에 왔을 때 공장을 돌아다니며 인사를 했었다. 그때 자신을 하수빈이라고 소개했었다. 당연히 지금까지 그 이름을 잊지 않고 있었다.

"당연하죠. 사무실 신입사원이 몇 명 들어온다고.. 그것도 모르겠어요."

나는 괜히 쑥스러워 웃었다. 그리고 말을 이었다.

"퇴근할 때 같이 가요. 저도 저기서 버스 타거든요."

"음.. 그런데 제가 야근을 자주 해서..."

그렇게 말끝을 흐렸다. 이 말이 같이 가기 싫다는 뜻인지 아니면 정말 야근 때문이라는 것인지 헷갈렸다. 여기서 더 치근덕거리면 그녀가 길고양이처럼 도망갈까 무서웠지만, 용기를 냈다.

"저도 야근해요."

앞을 바라보며 걷던 그녀는 내 말에 의아하다는 듯이 내 쪽을 바라보았다.

"잘 안 하시잖아요."

"아니에요. 밤에 주인님 밥 줘야 해요."

마지막 '밥 줘야 해요.' 부분은 자신이 없어 목소리가 기어들어가듯 말했다. 하지만 이어서 손가락 세 개를 펴며 그녀에게 설명했다.

"하루 세끼.. 아침 점심 저녁 다 챙겨줘야되요."

웃어라고 던진 말이었지만 그녀는 웃지 않았다. 아무런 표정 변화 없이 바라보는 그녀 때문에 내 심장은 쪼그라들었다. 이해를 못한 걸까? 고양이라고 친절하게 설명을 해줬어야 하나 라는 생각이 들 때 그녀가 대꾸했다.

"아, 그럼 오늘은 왜 저녁 안 줬어요? 줬어요?"

웃진 않았지만, 농담을 이해한 것 같았다.

"오늘은 점심때 많이 줘서 저녁은 걸러야 해요. 아니면 뚱냥이됩니다."

"오.. 체형 관리까지 해주시는구나.. 진정한 집사시네요."

이런 영양가 없는 말에도 대꾸해주는 그녀가 고마웠다. 그리고 그녀와 대화하고 있는 지금 이 순간이 너무 행복했다. 그래서 좀 더 대화를 이어가려고 노력했다.

"왜요, 수빈씨도 제가 식단관리 해드려요?"

내 말에 그녀는 나를 올려다보며 눈썹을 찡그렸다.

"저 살쪄 보여요?"

망했다.

수빈씨와 이렇게 대화하다 친해지고, 다음에 맛있는 식당에서 단둘이 밥도 먹고, 이번에 나온 재밌다는 영화도 같이 보고.. 그러다 더 관계가 깊어져 사귀고.. 결혼하고 ... 행복하게 살았답니다.

잠시 대화를 하는 동안 이런 해피 엔딩의 동화 같은 스토리를 기대했건만, 방금 던진 내 말 때문에 전부 사라져버렸다.

난 급히 말을 정정했다.

"아, 아니에요! 정말 예쁘세요!"

살짝 노려보던 그 눈빛은 금세 사라지면서 그녀는 고개를 숙이며 호탕하게 웃었다.

"사실, 살 빼야 해요. 식단관리 좀 부탁드립니다"

그녀가 웃을 때마다 차가운 공기 속 따뜻한 하얀 김이 모락모락 피어올랐다. 외모도 외모였지만, 그녀의 호탕한 성격에 더욱 매력을 느꼈다.

"아, 그럼 오늘 저녁부터 식단관리 해드릴까요? 저녁 식사 어때요? 저기 버스정류장에 맛있는 국수집 있는데 국수 어때요?"

용기 내서 같이 저녁을 먹자고 했다. 하지만 그녀의 표정은 심드렁했다.

"음.. 죄송해요.. 제가 밀가루 알레르기가 있어서..."

"아, 그렇군요..."

밀가루 알레르기를 겪고 있다니, 주변에선 처음 보는 일이었다. 어찌 됐던 용기 낸 제안에 대한 거절은 조금 아팠다. 하지만 정말 밀가루 알레르기일 수도 있으니 다른 메뉴로 한 번 더 물었다.

"그럼.. 요기 앞에 조금만 더 걸어가면, 돼지 불백 잘하는 집 있어요. 백반하고 같이 어때요. 반찬도 잘 나와요."

하지만 또 그녀의 표정은 심드렁했다.

"아... 제가.. 사실 비건[1]이라서 돼지를 못 먹어요."

아, 비건....
아마, 같이 밥 먹기 싫다는 뜻을 뒤늦게 이해한 것 같다. 괜히 눈치 없는 것 같아 미안하고 머쓱해져 얼굴이 빨개졌다. 다행히 주변이 어두워 내 얼굴색이 드러나지 않았을거라 생각했다.

"아, 괜찮아요. 그럴 수 있죠. 비건이면.. 맞아, 돼지고기를 안 먹지.. 하하..."

애써 괜찮은 척하며 관계가 더 나빠지지 않기를 맘속으로 졸일 뿐이었다. 그런데 그녀가 또 푸하하하고 웃었다.

"농담이에요!"

---

1) 채식주의자

“네?!”

“비건 아니에요. 밀가루 알레르기도 없어요.”

“아... 하하하.”

한 방 먹은 느낌이었다. 어떻게 반응해야 될지 몰라 어색하게 우물쭈물하고 있는 내게 그녀가 선물 같은 한마디를 던졌다.

“오늘은 저녁 약속이 있어서 안 되고요, 다음에 같이 식사해요! 저 국수 좋아해요.”

맑은 눈으로 내게 말하는 그녀를 보며 참을 수 없는 함박웃음이 얼굴 밖으로 드러나고 말았다. 그리고 우리가 어느새 버스정류장에 다다를 때쯤 하늘에선 하얀 눈이 내리기 시작했다.

“눈이다!”

그녀의 말에 고개를 들어 하늘을 바라보았다. 어두운 하늘에서 하얀 눈이 이 공간에서 하늘하늘 내려오고 있었다. 눈들은 버스정류장에 있는 가로등 조명에 비쳐 아름답게 빛나고 있었다. 마치 겨울 하늘에서 벚꽃들이 날리는 것만 같았다. 우린 잠시 아무 말 없이 그 장면을 감상했다.

하지만 얼마 지나지 않아 버스 오는 소리에 시선을 돌렸다. 어두운 저 도로 끝에서 밝은 조명을 비추며 이곳으로 오고 있었다.

“어, 저 저거 타야돼요.”

정류장을 향해 다가오는 버스를 가리키며 내게 말했다. 아쉽게도 그 버스는 내가 타는 버스가 아니었다. 나와 다른 버스를 타는 그녀를 보내줄 시간이었다.

“고마워요, 내일 봬요!”

그녀는 내게 웃으며 인사하고는 버스 위로 올라섰다. 버스 창문 안으로 그녀가 보였다. 난 그 모습을 계속 바라봤다. 그녀가 자리에 앉는 것을 보기도 전에 버스는 출발했고, 하얀 눈이 내리는 그 틈으로 버스는 사라져 갔다.

나는 다시 하늘에서 내려오는 눈을 바라보았다.

누군가 내게 용접을 해준 것 같다.
교통사고로 가족을 잃은 이후에는 내가 원하는 것을 받지 못했던 크리스마스 선물을 받게 되는 걸까?
산타를 믿지 않지만, 산타를 믿을 나이는 훨씬 지났지만, 이번만

큼은 믿고 싶었다.
울지 않을 테니, 제게도 크리스마스 선물을 주세요.
산타할아버지.

64.

먹구름 사이로 드문드문 달이 보였다. 그리고 그 아래로 하얀 눈이 내리고 있었다. 이따금 달이 구름 사이로 나타날 때 그 달빛에 비치는 눈은 마치 창문에 흐르는 빗물 같았다.

눈이 내린다.
차가운 겨울바람을 타고 예쁘게도 내리고 있다.
고동빛 장독대 위에는 하얀 눈이 조금씩 쌓이기 시작했다.
그리고 저 메마르고 황폐한 텃밭에도 포근한 눈이 덮여가고 있었다.

마루에 앉아 그 광경을 바라보며 나는 소주잔에 술을 가득 채웠다. 그리고 잔을 들어 올려 구름 사이로 드문드문 보이는 저 달을 담아 보았다. 넘칠 듯 말 듯, 술은 몽롱하게 빛나고 있었다. 나는 잔에 담긴 달을 소주와 함께 들이켰다.

달다. 소주가 들어가자 취기가 조금씩 오르기 시작했다.

“하..”

내 몸속 깊숙한 곳에 있던 불길은 어느정도 사그라들었지만, 숯처럼 남아 여전히 뜨거운 열기를 내뿜고 있었다. 입김이 차가운 겨울 공기를 뚫고 하늘로 솟아올랐다.

그를 기다리는 내 마음은 마치 깨달음의 경지에 다다른 현자와 같았다. 그 어떤 번뇌와 고통도 없는 상태. 난 그곳을 향해 나아가고 있는 것이었다. 이것은 어쩌면... 종교에서 말하는 깨달음의 경지라는 것일까? 아니면 난 정말 그 이상으로 나아가고 있는 것은 아닐까? 세상의 고통 속에서 아무것도 하지 못하고, 모든 것을 안다는 듯이 떠드는 그 녀석에 비하면 난 진정한 신에 가까워져 가는 것은 아닐까?

하늘에서 내려오는 눈이 집 밖에 있는 노란 가로등 조명에 비쳐 노랗게 그리고 이따금 반짝거리기도 했다.

나는 또 한번 잔에 소주를 가득 담아 입에 털어 넣었다. 그리고 다시 빈 잔을 채울 때쯤 누군가 대문을 열고 들어오는 소리가 들렸다.

“할매~!”

술을 가득 채운 잔을 옆에 두고 그를 맞이할 준비를 했다. 그리고 이내 그가 마당에 모습을 드러냈다. 어깨와 머리에는 하얀 눈이 쌓여있었다. 그리고 입에선 차가운 입김이 나오고 있었다. 그리고 한 손엔 뭔가를 들고 있었다.

“어? 여기서 뭐 해요?”

초록색 소주병과 소주잔을 옆에 두고 앉아있는 나를 보며 흠칫 놀라는 눈치였다.

“불은 왜 다 끄고 있어요? 켜도 돼요.”

“전 지금이 좋아요.”

내 말에 잠시 뜸 들이던 그는 천천히 내게 다가왔다.

“왜 혼자 마시고 있어요. 안 그래도 오늘 또 한 잔 하려고 맥주 사왔는데, 아~ 오늘 소주는 안 되겠어요.”

하며 내게 오른손에 쥐고 있던 봉지를 들어 보이며 미소 지었다.

"근데 할머니는 주무시는가?"

봉지를 내 옆에 내려두고 나를 지나쳐 그는 안방으로 들어갔다.

잠시후 할머니를 부르던 그 목소리는 오열하는 울부짖음으로 바뀌었다.

아, 얼마나 보잘것없고 미련한 인간인가. 세상은 이것이 끝이 아니거늘. 그는 아무것도 모르는 불쌍한 중생일 뿐이었다. 속세에 갇혀 그 너머를 보지 못하는 한 마리 길잃은 양이었다.

옆에 채워뒀던 소주를 들이켰다. 그리고 자리에서 일어나 마당으로 걸어 나갔다. 내가 걷는 눈길로 거룩한 발자국이 생겼다.

그곳을 떠난지 한참이나 된 그녀를 부르짖는 목소리가 조금은 잦아들 때쯤 그가 허물뿐인 육신을 업은 채 밖으로 뛰쳐나왔다. 그는 허겁지겁 어디론가 가려고 했다. 그런 그의 앞을 막아섰다.

붉어진 두 눈에는 눈물이 가득했다. 그리고 달에 비치는 검은 눈동자 깊숙한 곳에 자리한 분노가 차가운 공기를 뚫고 매섭게 나를 노려보고 있었다.

"비켜."

“그녀를 놓아줘.”

내 한마디에 그는 불같이 반응했다.

“닥치고 비켜. 죽여버릴 거야.”

나는 몸속에 품고 있던 시퍼런 칼을 꺼내었다.

“좋은 곳으로 가셨을 거야.”

그리고 세상의 진리가 생각나서 한마디 덧붙였다.

“아마도...”

사실 그도 알고 있다. 이미 차갑게 식어버린 그녀를 병원에 데리고 가는 것은 의미 없다는 것을. 그는 업고 있던 할머니를 마루에 조심히 눕혔다. 그렇게 내게 등을 보인 채로 눈물을 훔치며 말을 이어갔다.

“왜 그런거야 도대체..”

“너를 위한 거야.”

"나를...?"

훌쩍이며 어깨를 들썩이는 그에게 설명을 해주어야 했다.

"네가 이렇게 사는 동안, 또 다른 너는 호의호식하며 지내고 있어. 너무나 불공평한 일이지. 근데 너와 할머닌 그것도 모르고 이 고통 속에서 고통에 만족하며 살아가고 있잖아. 이건 바보 같은 짓이야."

들썩이던 어깨가 멈추었다. 그리고 그는 뒤로 돌아 나를 바라보았다. 두 눈에서부터 흘러내린 눈물이 볼을 타고 턱에 맺혀있었다.

"그래서 뭐.. 어쩌라고? 가서 그 새끼들 다 죽이면 돼? 네가 나한테 하는 것처럼?"

"나도 고통스럽게 살았어. 그래서 네 마음을 누구보다 잘 알아. 그리고 이젠 알아. 내가 뭘 해야 하는지."

"네가 뭘 해야하는데..? 악마처럼 나를 파멸로 이끌면 되는 거야?"

내 두 눈을 똑바로 바라보며 공격적이고도 강한 어조로 날 쏘아붙였다.

그가 내게 '악마'라고 했다. 하늘에서 내리는 하얀 눈과 같은 천사이자, 어쩌면 그것을 뛰어넘는 구세주일지 모르는 나에게, 저 미련하고 우매한 녀석이 '악마'라고 했다.

답답했다.

멍청한 자를 위해 더 설명해주기 위해 입을 열려고 할 때, 그는 말을 가로막으며 소리쳤다.

"남이 어떻게 살든! 그게 또 다른 나든!!!"

뜨겁고도 무거운 눈물 한 방울이 그의 볼을 빠르게 타고 내려가 바닥으로 떨어졌다. 그 자리에 있던 차가운 눈은 빠르게 녹아내렸다.

"그게 나랑 무슨 상관이야..."

너무나 따분하고 뻔한 발악이어서일까, 아니면 그의 대답이 마음에 들지 않아서일까... 그것도 아니라면 그냥 너무나 바보 같아서일까, 내 몸속에 가득 차 있던 답답한 불길은 은은함을 넘어서 다시 조금씩 불타오르기 시작했다.

무엇이 그를 이토록 삶에 집착하도록 만드는 것일까? 저 앞도 제대로 보지 못하는 늙은 할머니인가? 아니면 오늘 한 손에 가득 사온 맥주와 싸구려 새우맛 과자인가.. 그것도 아니라면...

“그 여자인가?”

내 머릿속을 지나간 건 지난 밤 그가 내게 이야기했던 경리 아가씨였다. 요즘 눈에 들어오는 여자가 있다고 만취 상태로 내게 이야기했다. 혀가 꼬꾸라져 그녀와 잘 되고 싶다면서 내게 반짝이는 눈으로 이야기했다.

그 생각에 갑자기 웃음이 났다.

술에 취해서인지 웃음이 멈추질 않았다. 뱃속 깊숙한 곳에서부터 날카로운 웃음소리가 계속 새어나왔다. 내가 웃는 것을 경멸스러운 눈으로 지켜보던 그를 향해 소리쳤다.

“멍청이! 그 여자가 널 사랑할 것 같아? 아무것도 없는 거지새끼를 말이야?!”

이미 내 마음은 흔들리는 두 눈동자로 나를 노려보는 그가 바닥까지 무너져 내리길 바랐다.

"그년을 죽여버리면, 너도 죽어버리겠구나?"

그 말을 마지막으로 녀석을 마음껏 비웃어주었다. 멍청하게 희망이랍시고 붙잡고 있는 것이 이루어질 수 없는 허상이라고 생각하니 너무 웃겼다. 그러자 마지막으로 지탱하던 고삐가 풀려버렸는지 그는 내게 소리치며 달려들었다.

엄청난 힘으로 나를 벽 쪽으로 밀었다. 난 텃밭을 넘어 장독대가 있는 곳까지 밀렸다. 그러면서 장독대에 강하게 부딪히면서 장독대는 부서져 버렸다. 부서진 장독대 안에선 검은 간장이 쏟아져 나왔다. 반쯤 그곳에 잠겨 버린 내 몸에는 간장이 절여졌다.

"이 개새끼야!!! 죽여버리겠어!!!"

이를 악물고 분노에 가득 찬 눈빛으로 내게 소리쳤다. 우린 서로의 팔을 맞잡고 힘겨루기를 하고 있었다. 난 발을 이용해 녀석의 배를 밀어 찼다. 내 발길질에 또 다른 나는 텃밭으로 뒹굴었다. 그 사이를 놓치지 않고 빠르게 부서진 장독대에서 몸을 빼냈다. 그리고 칼로 텃밭에 구르고 있는 그의 목을 향해 찍었다. 하지만 재빠르게 몸을 돌려 피해버려 칼은 텃밭에 꽂혀 버렸다. 칼을 다시 뽑아 그에게 휘둘렀다. 칼이 그의 낡은 외투를 찢었다.

다시 찌르기 위해 칼을 들이밀었다. 하지만 그는 두 손으로 내 오른손을 잡았다. 찌르기 위해 온 힘을 다했지만, 그도 이를 악물고 버텨냈다. 그렇게 잠시 이를 악물고 바닥에서 구르며 힘겨루기를 했다.

도중 내 손을 붙잡고 있던 녀석의 손이 풀렸고 난 다시 재빠르게 일어나 그를 덮치려 했다. 하지만 그도 빠르게 일어나 나의 두 팔을 다시 붙잡았다.

"이야야아아아!"

소리 지르며 내 배를 강하게 차버려 나는 저 멀리 날아갔다. 그러면서 손에 쥐고 있던 칼을 놓치고 말았다. 넘어진 내 위를 올라탄 그는 두 손으로 나를 마구 내려치기 시작했다. 거친 두 주먹에 흠씬 두들겨 맞으며 방어만 할 수 밖에 없었다.

"죽어! 죽어!!"

연신 죽어라고 소리치며 온 힘을 다해 나를 내려쳤다. 여길 벗어나기 위해 한 손으로 텃밭의 모래를 한 움큼 쥐었다. 그리고 그의 얼굴을 향해 뿌렸다. 눈에 들어간 모래 때문에 움찔하는 순간 그를 가격해 넘어뜨렸다. 그리고 그 자세에서 벗어났다. 손으로 얼굴을 막았지만, 입술이 터져 피가 흘러내리고 있었다.

그가 잠시 눈을 못 뜨고 휘청거리는 틈을 타 나는 바닥에 떨어져 있던 칼을 쥐어 들었다. 그리고 그를 향해 돌진했다. 그가 눈을 뜰쯤 차가운 칼은 그의 복부를 통과했다.

차가운 공기를 뚫지 못한 짧은 비명소리와 함께 그는 두 눈을 부릅뜨고 나를 바라보았다. 칼을 쥐고 있던 내 손을 강하게 움켜쥐고 미간이 잔뜩 찌푸려진 얼굴로 나를 바라보는 그의 다리가 점점 힘이 풀려가는 것을 느낄 수 있었다.

그의 간절한 두 손을 뿌리치며 칼을 뽑아냈다. 그러자 뜨거운 선혈이 차가운 텃밭에 뿌려졌다.

텃밭에 엉덩방아를 찍으며 쓰러진 상태로 가쁜 호흡을 내쉬는 그는 한 손으로는 칼이 찔린 곳을 움켜잡고 있었다. 하지만 하얀 입김이 입에서 새어 나오듯 배에선 빨간 피가 흘러내렸다.

나는 두 발로 그의 앞에 서서 그를 내려다보았다. 차가운 간장으로 젖은 옷에선 검은색의 국물이 한 방울씩 뚝뚝 떨어졌다.

“이제 거의 다 끝났어. 두려워 하지마. 곧 나에게 감사하게 될 거야. 나와 함께 이 불행을 끝내자”

거친 숨을 몰아쉬며 나를 올려다보는 그는 힘겹게 말을 꺼냈다.

“복수할 거야....”

분노 섞인 말을 하면서도 나를 바라보는 그의 눈빛은 두려움도 분노도 아니었다. 투명한 눈물이 가득 맺힌 두 눈 끝에서 눈물 한 방울이 볼을 타고 또르륵 흘러내렸다. 그리고 한마디를 내게 던졌다.

“넌.. 악마야.... 널 집에 들이는게 아니었어...”

다 쓰러져 가는 낡은 집, 앞이 보이지 않는 할머니 그리고 불합격만 하는 공무원 시험, 희망이라고는 찾아볼 수 없는 공장 계약직 노동자의 삶. 이런 거지 같은 인생을 끝낼 수 있게 도와주는 천사 같은 내게 끝까지 악마라고 해서일까? 아니면 분노도 두려움도 아닌 눈으로 나를 바라보는 마지막 그 눈빛 때문일까

갑자기 가슴 속 깊은 곳에 있던 화가 미친 듯이 치밀어 올랐다. 쥐고 있던 칼을 멀리 던져버리고 텃밭에 있던 큰 돌덩이를 주워 들었다. 그리곤 나를 노려보는 그 얼굴을 잠시 내려다보았다. 그 모습은 확실히 두려움이 아니었다. 더 이상 그 눈빛이 보기 싫었다. 그래서 돌로 그의 얼굴을 내려쳤다.

퍽

둔탁한 소리와 함께 뜨거운 피가 내 얼굴에 튀었다. 녀석은 아무런 힘없이 쓰러졌다. 하지만 난 멈출 수 없었다. 쓰러져 저항도 하지 못하는 놈의 머리를 계속해서 내려쳤다.

퍽 퍽 퍽

필요 이상으로 내리쳐 버려, 형체조차 알아보기 힘든 시체를 보자 나도 모르게 그곳에서 조금 떨어졌다. 그리고 피와 살점이 붙은 돌을 텃밭에 내려두고 자리에서 일어났다. 내 아래로 또 다른 내가 달에 비친 그림자처럼 놓여있었다.

거친 숨을 몰아쉬던 나는 침을 한번 삼켰다. 그리고 서둘러 몸을 움직여 낡은 창고에 있던 기름통을 들고나와 기름을 집에 뿌리기 시작했다. 텃밭과 시체에도.. 마지막으로 내 몸에도 기름을 들이부었다. 빨리 이곳과 내가 사라지길 바랬다.

라이터를 켜 시체에 불을 붙였다. 기름이 묻은 텃밭은 불길이 번져 불타오르기 시작했다. 시체는 불길에 휩싸여 장작처럼 탔다. 잠시 그 모습을 보다 이 낡은 집에도 불을 질렀다. 불길은 마치 식사를 하는 것처럼 이곳을 집어삼키기 시작했다. 나는 천천히 걸어가 집의 마루로 올라섰다. 그리고 불타오르는 집을 둘러보았다.

하얀 눈이 내리는 밤.

그가 내려와 우리를 구원해주길 바라는 그 날이 있는 달(月)에.

나는 그들을 구원하러 왔다.

캐럴이 어디선가 들리는 것만 같다.

기쁘다.... 오셨네....

불길은 이내 모든 것을 집어삼켰다.

65. 정보의 파편

내 눈이 언제부터 안 보였는가 하면, 9살 때 고열을 앓으면서부터였다. 그때 당시에는 원인 모를 고열로 누군가 아플 때는 집에 못질하면 안 된다는 미신이 있었는데, 그래서 어른들은 뭔가를 박는 일은 조심하곤 했다. 그런데 우리집 앞에 작은 텃밭이 하나 있었는데, 그 밭 바로 옆에 작은 고물상을 하던 두석이네가 살고 있었다. 그 집에서 마당을 만든답시고 담을 쌓기 위해 철심을 땅바닥에 박았는데, 그것 때문이었을까? 고열로 시름시름 앓던 나는 그 이후로 앞을 볼 수 없게 되어버렸다.

그때 이후로 나는 다른 눈으로 세상을 바라보는 방법을 배워야 했고, 촉감과 청각을 이용하는 것이 그 방법이었다. 손끝으로 글을 읽는 법과 지팡이를 들고 다니며 걸어 다니는 방법을 알아야만 했다. 하지만 두 눈을 잃은 여자 혼자서 세상을 살아가는 것은 힘들어 보였나 보다. 나의 부모님은 재산을 털어 나를 중산층의 한 남자에게 시집을 보냈다. 물론, 그에게는 둘째 부인이었다.

결혼식을 하던 날을 제외하고 남편이 내 집을 방문한건 단 두 번이었으며, 하늘의 뜻인지 그 두 번 만에 나는 아이를 두 명 낳게 되었다.

첫째가 남아이고, 둘째는 여아였는데 3살 터울로 자라는 아이들을 혼자서 키우는건 힘들었지만, 부모님의 권유로 배운 침술 덕분에 아이들을 굶기지 않고 키울 수 있었다. 부모님은 여자도 글을 읽을 줄 알아야 한다고 점자를 배우게 했으며, 그리고 침을 두는 건 촉각으로 할 수 있는 일이라 배워두면 굶어 죽진 않을 거라고 생각했나 보다. 그땐 면허가 없었어도 그런 식으로 침을 두곤 했었던 시절이었다. 더욱이 부모님이 물려주신 집도 있어, 두 아이를 길바닥에서 키우지 않아도 되었다.

그러던 어느 날, 무르익어가던 가을 잎이 떨어지면서 쌀쌀해지기 시작할 때쯤의 계절에 저녁밥을 짓기 위해 장작을 태우기 시작할 때였다. 첫째가 울면서 집으로 들어오는 소리가 들렸다.

"어무이.. 엉엉"

아이의 우는 소리에 난 뒤쪽으로 시선을 돌렸다.

"미선이가 없어졌어요. 흐엉"

둘째 딸아이와 함께 근처 강에 놀러 갔던 첫째 아이가 울면서 둘째가 없어졌다고 했다. 가슴이 철렁 내려앉았다. 그 길로 바로 아이의 손을 잡고 강으로 향했다.

강에 도착했을 때, 내 귀에 들리는 건 잔잔한 강물 소리와 새 소리 그리고 이따금 지나가는 사람들의 발걸음 소리뿐이었다. 둘째의 목소리는 그곳에 없었다.

“미선아! ”

우는 첫째 아이의 손을 잡고 어디 있을지도 모를 딸을 향해 소리쳤지만 돌아오는 목소리는 없었다. 나는 큰애를 붙들고 어쩌다 애를 잃어버렸는지 물었다. 같이 있었는데, 첫째가 물속 물고기에 정신이 팔린 사이에 딸아이가 없어졌다고 했다. 멀리 가진 못했을 거라 생각해 아이의 손을 꽉 잡고 강 주변을 빠른 걸음으로 다니며 딸아이의 이름을 불렀다.

애통했다.

두 눈이 보이지 않는다는게 이런 것이었다. 딸이 없어졌지만, 나는 찾을 수 없었다. 가슴이 미어지고 내가 할 수 있는게 보이지도 않는 두 눈을 가지고 어딘지 모를 방향으로 뛰어다니며 울며 소리를 지를 수밖에 없다는 사실에 온몸에 소름이 돋았다.

“미선이 아주메 아닌교? 뭔 일 인교?”

강 주변에서 소리 지르며 울고 있는 우리를 본 누군가가 말을 걸었다. 목소리를 들었을 때 아래 사거리 쪽에 방앗간을 운영하고 있는 안주인이었다. 난 그녀를 붙잡고 울며 애원했다.

"우리 아가 없어졌는데, 제발.. 제발 좀 찾아주이소.."

내 말을 들은 방앗간 안주인은 함께 미선이를 찾기 시작했으며, 이 소식은 삽시간에 동내에 퍼져 동네 사람들이 전부 힘을 모아 주었다. 해가 지고 밤이 어두워졌지만, 결국 둘째는 찾지 못했다. 당시 동내에 있던 순사에게도 이야기하였지만, 별다른 소득은 없었다. 그렇게 나는 둘째 아이를 잃어버린 것이다.

가슴이 찢어질 듯 아파서 아무것도 할 수가 없었다. 어두운 방안에서 그저 눈물만 흘릴 뿐이었다. 내가 그렇게 있으니, 첫째 아이도 자기 잘못이라고 생각하면서 방구석에 쪼그려 앉아, 배가 고플텐데도 아무런 말도 하지 못하고 있었다. 그런 모습을 보니, 첫째 아이에게 미안하면서도 이상한 분노도 차올랐다. 하지만 이내 모든 것은 빛을 잃은 내 두 눈 때문이라는 생각이 들었다. 극심한 우울증이 나를 덮쳤을 때, 미선이의 목소리를 들을 수 있었다.

늦은 밤, 대문을 여는 소리와 함께 엄마를 찾는 미선이의 목소리가 들렸다.

"어무이"

작은 그 입으로 나를 힘없이 부르는 목소리를 나는 분명 들었다. 난 두 귀를 쫑긋하며 고개를 들어 대문 쪽으로 보이지도 않는 시선을 옮겼다.

"어무이..."

미선이었다. 분명 미선이가 집을 찾아 돌아왔다. 나는 황급히 자리에서 일어나 문을 열고 밖으로 나갔다.

"어무이.."

난 두리번거리며 그 목소리의 위치를 찾고 있었다.

"그래.. 아가 .. 어디있노?"

하지만 어디 있는지 알 수가 없었다. 분명 그 아이의 목소리는 들렸지만, 난 그 아이가 어딨는지 알 수 없었다.

"어무이..."

"그래.. 미선아! 이 어메한테 오니라 어딨노!"

나는 신발도 신지 않고 마당으로 나가서 아이를 찾기 위해 허공에 손을 휘적이며 미선이를 불렀다. 하지만 아이는 내 손에 닿지 않았다.

“어무이...”

“어디있노, 미선아! 이리 오니라! ”

혼자 미친 듯이 소리치며 울부짖었지만, 아이는 내게 다가오지 않았다. 어디 있는지 모를 딸아이의 목소리는 어둠으로 가득 찬 내 세상에서 동굴처럼 울렸다. 답답함에 미칠 것 같아 다짜고짜 아이의 목소리가 있는 곳으로 뛰었다. 하지만 아무리 달려도 그 목소리는 내게 가까워지지 않았다.

“미선아!! 제발... ”

이라고 소리치는 순간 난 돌부리에 걸려 넘어지면서, 잠에서 깼다.

온몸에 식은땀으로 젖은 나는, 혹시나 하는 생각에 잠에서 깨자마자 문을 열고 밖을 향해 미선이를 불렀다.

“미선아!!!”

하지만 딸아이의 목소리는 더 이상 들리지 않았다.

"어무이..."

귀에 들린 건 미선의 목소리가 아닌, 내 소리침에 깬 첫째 아이의 훌쩍이는 목소리였다. 그 목소리를 듣자마자 내가 느낀 감정은 더 이상 살고 싶지 않다는 것이었다.

나는 가쁜 숨을 몰아쉬며 남은 내 아이 쪽으로 몸을 돌렸다.

66. 지다희

어릴 적 내 기억은 그렇게 달갑지가 않다. 일찍이 부모님을 여의고, 나는 고약한 술 냄새를 풍기는 작은아버지 아래에서 자랐기 때문이다. 작은아버지는 일용직 노동자의 삶을 살았다. 작은아버지의 어머니, 그러니깐 나의 할머니가 마지막으로 남겨두신 집과 우리 부모님의 재산이 있었으니 그나마 배에 술을 들이부으며 살아갈 수 있는 사람이었다. 그는 아무런 꿈도 희망도 그리고 인간적인 삶이란 것도 없는 짐승에 불과했다. 매일 술을 마셨던 것 같다. 그리고 배고프면 음식을 배달해 먹거나 라면 같은 것으로 때웠고, 잘 씻지도 않았다. 살은 뒤룩뒤룩 찌고 수염과 머리는 거지처럼 부스스했다. 집에 들어오면 바지를 벗어 아무데나 던져버리고 다 늘어난 런닝과 낡은 팬티를 입고 냉장고를 열어 맥주를 꺼내 마셨다. 그리고는 곧장 TV 앞 소파에 누워 축구 경기를 보며 누군지도 모를 선수를 욕하면서 술을 마셔댔다. 어린 나이의 내겐 전혀 관심이 없어 보였다. 처음에는 그랬다.

부모님이 살아계실 때 아버지에게 들은 작은아버지는 굉장히 능력 있고 멋진 사람이었다고 한다. 공부도 잘해서 좋은 대학을 나왔고, 그 학벌을 바탕으로 대기업에 일찍 취직해서 할아버지와 할머니의 자랑이었다고 한다.

어머니가 말하는 작은아버지는 능력 뛰어난 만큼이나 외모도 나쁘지 않아 또래 여자들에게도 인기가 많았다고 한다. 그리고 그런 인기를 바탕으로 대학교 시절에는 학생회장으로 선출되기도 하고, 어딜 가나 리더 역할을 하는 그런 사람이었다.

비교해서 말하자면 안타깝지만, 나의 아버지는 늘 작은아버지에게 밀리는 존재에 불과했다. 공부를 그렇게 잘하지도 못했고, 대기업에 취직하지도, 그리고 사람들에게 인기가 많은 타입도 아니었다. 하지만 아버지는 그런 것에 별로 개의치 않아 했다. 오히려 동생을 자랑스럽게 생각하며 살았다고 한다. 사실 아버지와 어머니가 만난 것도 잘난 동생의 소개였으니, 떡고물이 떨어졌다고 볼 수도 있을 것이다.

그는 살면서 단 한 번도 실패해보지 않았다. 그렇게 잘난 작은아버지는 그것이 문제였나보다. 그래서 한 번의 큰 실패가 그에겐 자신의 세상이 모두 무너져 버린 것처럼 크게 다가왔나 보다.
성공이라는 자신감에 가득 찬 그는 자신의 능력을 너무 믿었고, 대기업에서 번 돈과 일찍이 회사를 때려치면서 받은 퇴직금으로 사업을 벌였다. 하지만 사업은 쫄딱 망해버렸다. 빚까지 내가며 회사를 살리려 힘썼지만, 역부족이었다고 한다. 그렇게 그는 파산했고, 그렇게 나락으로 떨어져 버렸다. 마치 두 다리와 팔이 잘린 것처럼, 하늘을 바라볼 수 없는 돼지가 되어 나락에서 벗어나지 못했다.

그런 모습을 보는 할머니와 할아버지는 당연히 마음이 좋지 않았을 것이다. 본인들의 자랑이었던 작은아들이 하루아침에 나락에서 헤어나오지 못하는 폐인이 되어버렸으니깐 말이다. 그들은 아버지에게 작은아버지를 '잘 돌보아라', '정신 차리게 해봐라' 등의 말로 떠넘겼지만, 본인의 세상이 무너져 없어져 버린 작은아버지는 회생이 불가능했다.

그래서 작은아버지라는 사람을 잘 보기 힘들었다. 명절 때 집에 오는 것도 아니었고, 그렇다고 우리가 찾아가지도 않았다. 그런 그를 마주하게 된 것은 불의의 사고였다.

사고로 부모님을 잃고, 나는 유일한 가족인 그에게 위탁되었다.

살이 쪄서 맞지 않는 검은색 정장을 겨우 끼워 맞춰 입고 장례식장에 나타난 그의 모습이 아직도 내 기억 속에 남아있다. 그때도 털은 정리되어 있지 않고, 눈은 퀭했으며 하루종일 장례식장에서 아무 말 없이 소주만 마셨다. 눈물은 흘리지 않았다.

그가 나를 거두어들인 것은 작고 어린 내가 불쌍해서가 아니었다. 나의 부모님이 죽으면서 나온 사망 보험금과 그리고 남겨진 자산 때문이었다. 돈을 어디에 썼는지는 모른다. 다만, 뒤룩뒤룩 찐 저 배가 그 돈의 결과물인가보다 라고 생각할 뿐이다.

내가 그에게 위탁된게 초등학교 3학년, 그러니깐 10살 때였다. 나를 키우거나 돌볼 생각이 전혀 없었던 그는 내게 관심이 없었다. 그가 음식을 배달하거나 하면 먹을 것을 던져주거나, 아니면 라면 같은 것을 내가 끓여 먹어야 했다. 그래도 점심은 학교에서 해결할 수 있었다.

학교를 마치고 돌아온 집은 어둡고 냄새나고 쾌쾌했다. 항상 소파 근처엔 수많은 맥주병과 소주병들이 놓여있었고, 담배꽁초로 이루어진 조그마한 산들이 여기저기 쌓여있었다. 그래도 그 시간엔 아직 작은아버지가 돌아오지 않았다는 것이 내겐 큰 위안이었다.

하지만 밤이 되면 비틀비틀거리며 집으로 들어왔고, 역시나 내겐 관심이 없었다.

내게 처음으로 눈길을 주며 말을 걸던 그날이 기억난다. 밤늦게 돼서야 집에 들어오는 그가 그날은 일찍 집에 들어왔다. 그리고 내게 말을 거의 걸지 않았던 그가 나를 잠시 바라보다 내게 말을 걸었다.

12살, 그는 내게 새로운 세상을 만들어주기 시작했다.

처음 시작은 아무런 이유 없는 폭언과 구타였다. 난 그에게 밤만 되면 맞아야 했다. 내가 맞는 이유는 모른다. 그는 마치 내가 원

수인 것처럼 눈에 살기를 띠고 나를 때렸다. 온몸에 멍이 들었지만, 내가 할 수 있는 것은 아무것도 없었다.

그는 출근하고, 난 학교에 갈 수 없었다. 한 번도 학교에 찾아가지도 연락도 않던 그가 담임에게 직접 전화하여 애가 아파서 학교에 한동안 가지 못 할 거라고 했다. 학생들에게 별다른 관심이 없었던 담임은 그냥 '네'라고 해버렸을 것이다. 그렇게 난 다른 친구들이 학교에 있을 시간에 어두운 방 안에서 혼자 쭈구려 앉아 있을 수밖에 없었다. 나는 방구석에서 울며 무서운 밤을 기다렸다.

배가 고프면 냉장고에 들어있는 물을 마셨다. 그리고 살기 위해서 전날 저녁에 그가 먹고 남긴 음식물 찌꺼기를 입에 털어 넣어야만 했다.

그렇게 4일째가 되던 밤

일찍 들어온 그는 날 때리지 않았다. 처음으로 본 그 인자한 미소로 내게 먹고싶은게 없냐고 물었다. 나는 두려움에 떨며 아무 말도 하지 못했다, 하지만 거칠고 검은 그의 손이 어둠 속에 움츠려 있는 내게 뻗어졌다. 내민 그 손으로 나를 방에서 나오도록 했다. 작은아버지의 손길에 이끌려 거실로 가서 테이블 위에 놓인 여러 개의 배달 음식점 광고지를 보았다.

빨간 치킨과 노릇노릇 잘 구워진 피자 그리고 모락모락 김이 올라올 것 같은 짜장면까지, 음식 사진들은 배고픈 내 뱃속을 요동치게 만들었다.

또 한번 그의 눈치를 보았다. 여전히 인자한 미소로 내게 먹고 싶은걸 말하라 했다. 나는 두려움 속에서도 배고픔이 앞서 새빨간 양념치킨을 선택했다.

잠시후 치킨이 도착했고, 그와 함께 테이블에 앉아 치킨을 먹었다. 빨간 양념이 묻은 치킨 다리를 내게 건네며 내 머리를 쓰다듬었다.

맛있었다.

며칠 동안 굶고 먹는 음식의 맛은 너무나 달고 풍족했다. 무서움은 뒤로하고 허겁지겁 치킨을 먹었다. 그런 내게 콜라를 건네며 천천히 먹으라고 했다. 갑자기 내게 왜 이러는지는 모르겠지만, 너무 감사했다.

치킨을 먹고 있는 동안 그는 내게 공부해야 한다고 했다. 그렇게 나는 집에서 우리 둘만의 새로운 교육을 받아야만 했다. 그것은 누구도 알아서는 안 되는 우리 둘만의 비밀이었고, 공부를 해야 하는 이유는 며칠 밤낮을 맞거나 굶어야 했기 때문이다. 도망갈 수도 없었기에, 그 어떠한 저항도 하지 않았다. 내가 살아가기 위한 방법은 하나뿐이었다. 그는 똑똑했기에 처음부터 어려운걸 시키지 않았다. 어린 내게 이론부터 천천히 가르치기 시작했다. 정확히는 세뇌를 시작했다는게 맞겠다. 나는 다른 또래의 친구들보다 어른들의 영상을 일찍 접했다. 나를 아무 이유 없이 폭행했던 그날 밤부터 이 교육은 시작되었던 것이다. 내 세상은 그때부터 새롭게 만들어지기 시작했다. 아직 아무것도 모르는 하얀 도화지라, 그는 자신이 원하는 것을 마음껏 그릴 수 있었다. 하얀색 바탕에 검고 거친 손길로 자신만의 세상을 그렸다. 그리고 그것은 곧 나의 세상이 되었다.

검거나, 짙은 검붉은 색
날카로운 직선과 멍든 핏물이 터진 것 같은
그리고 암흑 속 끈적한 색채와 뜨거움
그곳에 눈물은 없었다. 그것은 파란색이니깐

이후 몇 년 동안 내 도화지엔 깊고도 어두운 퇴폐적인 그림으로 가득 채워졌다.

그 그림은 우리 둘만의 비밀이었고, 내가 비밀을 지켜야 하는 이유는 다름 아닌 죽음에 대한 두려움 때문이라고 생각했다.

67.

“사실 예전부터 너 좋아했었어, 수능을 치고 나면 꼭 고백하려고 했었어. 같이 영화 보러 가자.”

나를 잠시 불러내서 한다는 이야기는 그의 속마음이었다. 수능을 치고 난 후 얼마 되지 않았을 때 그는 내게 고백을 한 것이다.

그와 처음 만난건 고등학교 1학년 때이다. 같은 반이었고, 처음 내게 건넨 선행은 책이었다. 그날 수업 시간 책을 챙겨오지 못한 내게 그는 자신의 책을 건넸다. 책이 없으면 얼차려를 주던 선생님의 수업이었는데, 그는 나를 대신해서 얼차려를 받았다. 그 책을 주는 이유 같은 건 그렇게 궁금하지 않았다. 그냥, 수업이 끝난 후 그에게 고맙다는 말 한마디와 책을 돌려주었을 뿐이었다.

이후 그는 내게 종종 말을 걸었다. 나는 이따금 그가 던지는 질문에 답변을 해주었지만, ‘응’, ‘아니’와 같은 단답일 뿐이었다. 장문의 질문에 단답을 하면, 머쓱해하며 미소를 띠어 보이곤 다른 친구에게 가버리곤 했다. 내가 그에게만 유난히 모질게 군 것은 아니다. 애초에 나는 학교에서 말을 많이 하지 않았다. 수업 시간엔 수업만 들었고, 쉬는 시간엔 엎드려 자거나 파란 하늘이 있는 창문 밖을 바라볼 뿐이었다. 학교를 마치고도 친구들은 종종 자기들끼리 삼삼오오 모여 떡볶이를 먹으러 가거나 함께 독서실을 갔지만, 난 그러지 않았다. 학교를 마치면 일찍 집으로 가야 했기 때문이다.

당연히 그러다 보니 이렇다 할 친구는 없었다. 하지만 부모님이 물려주신 유일한 자산이라고 할 수 있는 외모가 나쁘지 않았는지 내 별명은 찐따[2]나 병신같은 것이 아니라 얼음 공주였다. 그것도 나름 학교에선 유명한지 종종 선생님들도 나를 그런 별명으로 놀리곤 했다.

"미안"

그가 못생겼거나 찐따같아서 고백을 거절한 것은 아니다. 그 친구는 나와 다르게 성격이 활발했고 운동도 잘해서 학교에서 친구들도 많았다. 그리고 공부도 꽤 잘해서 선생님들의 이쁨도 받는 친구였다. 그렇기 때문에 더욱 받아줄 수 없었다.

"아..."

아쉽고도 짧은소리에도 난 그저 그를 가만히 바라볼 수밖에 없었다. 그런 내게 미련이 남았는지 그는 포기하지 않고 웃으며 말했다.

---

2) 찌질한 사람을 뜻하는 비속어

“그냥 친구로라도 같이 영화 보고 할 수 있잖아? 이제 시험도 끝났는데 조금 놀아도 되지 않을까?”

“날 좋아하는 이유가 뭐야?”

처음듣는 내 질문에 그는 눈을 살짝 피하며 어렵게 말을 했다.

“뭐... 예쁘기도하고...다른 여자애들과는 달라.”

조금 흠칫 놀라 그의 얼굴을 바라보았다. 내 눈빛을 의식했는지 자신의 말에 대한 해석을 늘어놓았다.

“뭔가.. 점잖고... 발랑 까지지 않은 것 같아.”

이 친구의 눈엔 친구들과도 놀지 않고, 학교 마치면 집으로 휑하고 사라지는 내가 소심한 범생이 같았나 보다. 나를 교양있는 소녀 정도로 생각하는 그에게 미안한 기분마저 들었다. 하지만 다른 사람에게도 내가 그 정도로 보이길 바랬다. 그리고 앞으로 계속 그런 여자아이로 기억되길 바랬다.

“미안해. 대학교에 가서 더 좋은 여자 만나.”

진심이었다. 미래가 빛나는 그를 만날 수 없다. 난 그와 다른 세상에 살고 있으니 말이다. 우린 서로 만날 수 없는 세상에 살고 있는 것이다. 그러니 그가 같은 세상에 사는 사람을 만나길 바랬다. 내가 다른 친구들과도 거리를 가깝게 하지 않은 이유는 그것이었다. 우리는 같은 공간에 있었지만 너무나 다른 세상에 살고 있었다. 이것은 시간과 공간을 넘어선 차원이 다른 세상 그것이었다. 그들과 난 아마 영원히 접점 같은건 없을 것이다.

아쉬움에 고개 숙인 그를 뒤로한 채 나는 자리를 떴다.

그리고 고등학교를 졸업한 이후 그의 소식은 모르겠다.

68.

“대학을 안 가겠다고?”

선생님은 눈을 동그랗게 뜨고 내게 말했다.

“네”

난 짧게 대답할 뿐이었다.

"아니, 그래도 대학은 가는게 좋지 않을까? 이유가 뭐야? 혹시 다른거 생각해둔 거라도 있니?"

"그냥, 돈 벌려고요."

별다른 표정 변화 없이 덤덤히 대답하는 학생 앞에서 담임이 할 수 있는 것이라곤 없었다.

수능 성적표가 나온 이후 다른 친구들은 1지망, 2지망, 어느 대학교에 원서를 넣니, 재수를 하느냐 마느냐 하고 있었지만 그런 것은 나와는 전혀 상관없는 이야기였다. 수능 이후 오전만 진행하는 수업은 자율시간으로 바뀌어 있었고, 삼삼오오 모여 떠들고 놀거나 영화를 보거나 축구 같은 것을 하며 그들은 시간을 때웠다. 그들과 달리 아무 생각 없이 파란 하늘만 멍하니 바라보던 내게 누군가 어깨에 손을 얹으며 말을 걸었다.

"담임이 오래."

반장이었다. 동그란 안경을 끼고 긴 생머리를 가진 그녀는 소심할 것 같은 생김새와는 달리 굉장히 진보적이고 능동적인 소녀였다. 가끔은 소리 지르며 교실을 뛰어다니기도 하고 친구들과 말뚝박기와 같은 게임을 하기도 했다.

“응”

자리에 일어서 교무실로 내려갔을 때 내 눈에 보이는건 교무실 테이블에 앉아있는 담임선생님과 건너편에 앉아있는 작은아버지였다. 담임선생님의 손짓에 따라 난 그곳에 앉았다.

세명이 모인 이유는 이랬다. 내가 대학을 가지 않는다고 하니 선생님은 부모님을 모셔오라 했고, 난 그것을 작은아버지에게 이야기했다. 작은아버지는 학교에 가지 않겠다고 했으나 직접 전화한 선생님의 요청에 만류하지 못해 결국 여기까지 오게 된 것이다. 그런 것이었다. 선생님의 세상에선 제자가 대학을 입학하느냐 하지 않느냐가 가장 중요한 일이었다. 제자가 대학을 가지 않는 것은 큰 사건이었고, 그것은 해결해야 할 문제였던 것이다. 그래서 그는 나를 위해서 최선을 다해 작은아버지를 설득했다. 그의 노력은 다름 아닌 나의 대학 입학 때문이었다. 하지만 작은아버지는 단호했고, 은근슬쩍 내게 의견을 떠넘기기도 했다. 그럴때마다 나도 대학을 가지 않겠다고 했다. 그것은 내 세상에선 일어날 수 없는 일이었고, 큰 문제도 아니었다.

우린 중간에 크지 않은 직사각형 테이블을 하나 두고도 이렇게 다른 세상에 살고 있었다. 그 테이블은 넘을 수 없는 것이었고, 테이블 위엔 식어가는 싸구려 믹스 커피 세잔만이 놓여있을 뿐이었다.

결국, 선생님은 실패했다.

“마치면 바로 집으로 와.”

그 말만을 남기고 작은아버지는 뒤도 돌아보지 않고 그곳을 떠났다. 담임은 더 이상의 미련 없이 자신의 자리로 돌아갔다. 그리고 나도 내 자리로 돌아갔다.

69.

졸업 이후 난 작은아버지의 명령대로 아르바이트를 구했다. 그는 내가 낮엔 돈을 벌고 밤엔 그를 위해 일하길 바랐다. 그래서 그가 출근하는 시간과 퇴근하는 시간에 맞춰 내게 일을 구하라고 했다. 그래서 아르바이트를 구하기 위해 여기저기 돌아다니던 도중 오전부터 오후 시간 파트타임을 구한다는 한 카페로 들어갔다.

“어서 오세요.”

카운터에 있던 30대 초반으로 보이는 남성이 내게 미소를 지으며 인사했다. 평일 낮이라서 그런지 두 개의 테이블에만 사람이 앉아

있었다. 프렌차이즈 카페는 아니었지만, 카페 크기가 그렇게 작지는 않았다.

다른 곳이 아닌 카페를 선택한 이유는 시간이 맞는 것도 있었지만, 언젠가 종종 카페를 지나가며 그곳에서 여유롭게 커피를 마시며 책 읽는 사람들이 부러웠던 감정이 어느 정도 반영 됐다고 할 수 있겠다. 카페를 지나가면 유난히 커피 향이 많이 나는 곳이 있다. 나는 일부러 그 길을 지나쳐 가곤 했다. 향긋한 커피 향을 맡을 때면 잠시나마 내 세상을 탈출한 느낌이 들었기 때문이다.

“주문하시겠어요?”

카페에서 커피를 마셔본 적은 없었다. 하지만 그의 말에 자연스럽게 메뉴판으로 눈길이 갔다.

아메리카노
카페라떼
카페모카
.
.
.

사실 뭐가 무엇인지는 모른다. 커피가 커피지 왜 이렇게 이름이

다르고 생소한걸까

“그게 아니라, 아르바이트 구하신다고 해서 왔어요.”

“아”

그의 외마디 소리는 내가 고백을 거절했던 그 소년의 입에서 나온 소리와는 달랐다. 카운터에 있던 남자는 내게 미소를 지으며 다시 말을 걸었다.

“저쪽에 앉으세요.”

내게 가까운 빈 테이블을 가리키며 앉으라고 했다. 내가 그곳에 앉자 그는 내 건너편으로 몸을 옮겼다. 그리고 우린 서로 얼굴을 마주 보고 앉았다. 하얀 셔츠 위로 검은색 앞치마를 두르고 있는 그의 모습이 누가 봐도 카페에서 일하는 사람처럼 보였다.

“이력서는 가지고 오셨나요?”

“이.. 력서요?”

전혀 생각도 하지 못했던 것이었다.

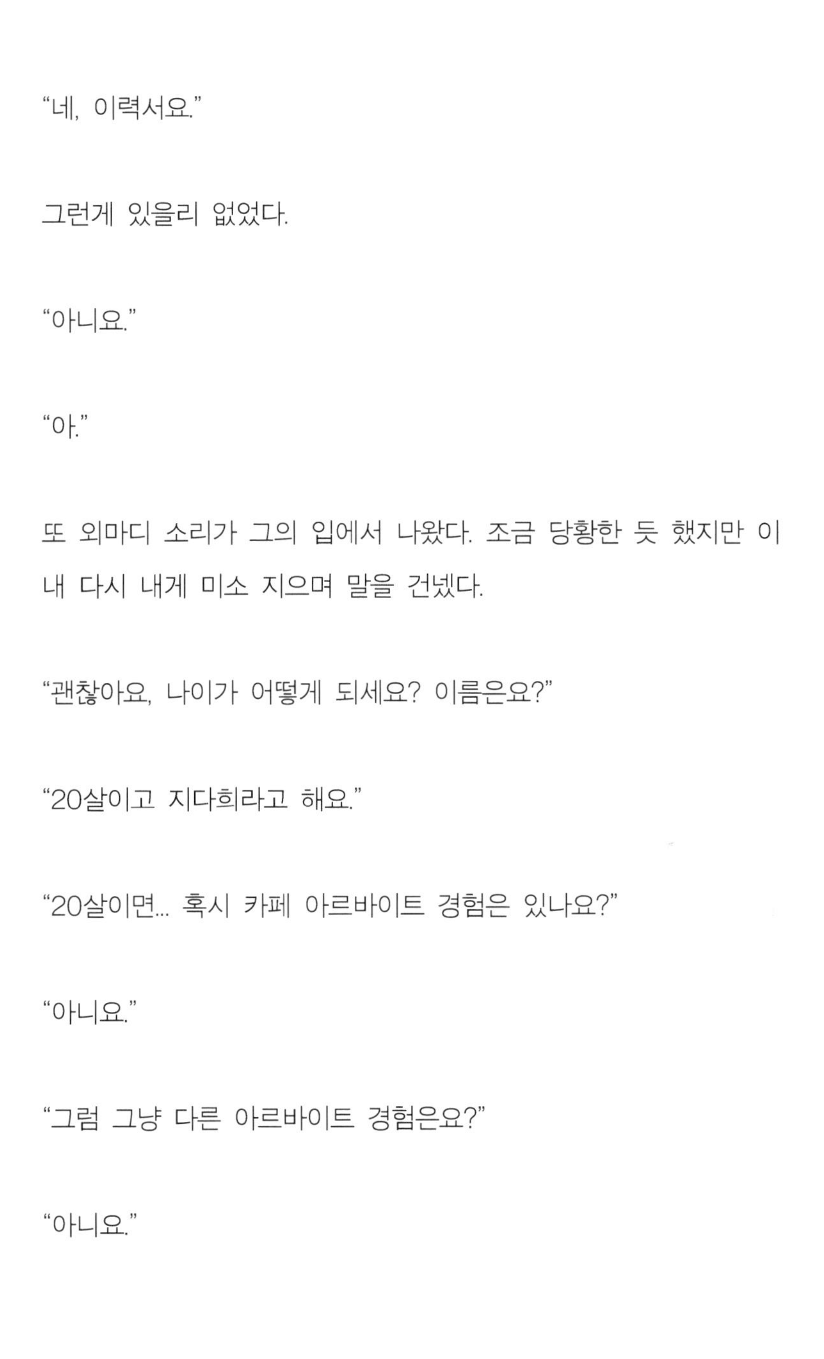

“네, 이력서요.”

그런게 있을리 없었다.

“아니요.”

“아.”

또 외마디 소리가 그의 입에서 나왔다. 조금 당황한 듯 했지만 이내 다시 내게 미소 지으며 말을 건넸다.

“괜찮아요, 나이가 어떻게 되세요? 이름은요?”

“20살이고 지다희라고 해요.”

“20살이면... 혹시 카페 아르바이트 경험은 있나요?”

“아니요.”

“그럼 그냥 다른 아르바이트 경험은요?”

“아니요.”

“아…”

이번엔 그의 입에서 외마디 탄식이 나왔다. 하지만 뭔가 포기하지 않고 계속 말을 이었다.

“그럼 대학생이신 건가요?”

“아니요”

“그럼, 재수생..?”

“아니요.”

“아.”

그는 살짝 미간을 찌푸렸다.

“쓰읍… 그 다 좋은데, 너무 표정 변화가 없어서.. 아무래도 이게 또 서비스직이니깐 그렇게 너무.. 뭐라할까.. 무뚝뚝하게 대답하시면 손님들이 오해할 수도 있고…”

하지만 그런 말은 내게 아무런 변화를 주지 못한다. 그렇다고 내가 억지로 밝은척할 수도 없었다. 이미 그런건 내게서 없어진지 오래였다. 그래서 그냥 그를 바라보기만 했다. 말끝을 흐리며 잠시 고민하던 그는 나를 물끄러미 바라보다 다시 말을 했다.

"화나신건 아니죠?"

"아니요."

"혹시, 아니요 말고 다른 말도 들을 수 있을까요?"

계속되는 질문에 '아니요'로만 일관해서인지 그는 뭔가 오기가 생겼나 보다.

난 잠시 망설였다. 그러다 내가 할 수 있는 말을 했다.

"시키는 대로 할께요."

내 마지막 말에 그의 미간이 풀리면서 눈동자가 흔들렸다. '시키는 대로 한다'는 말은 진심이었다. 나와 그는 갑과 을의 관계이자 채용 시 주와 종의 관계라고 생각한다. 내가 여기서 무엇을 어떻게 하든 저 사람이 나를 싫다고 하면 들어온 문을 다시 열고 나가야 한다. 하지만 그가 좋다고 한다면 일을 시작할 것이다. 내가 뭘 한다고 달라질까? 내겐 아무런 선택권이 없다. 그냥 그의 대답만을 기다리고 있는 것이었다. 저 말의 뜻은 그것이었다.

“그래요, 뭐... 일만 잘하면.... 하긴 전부 경력직을 구하면 신입은 어디서 경력을 쌓겠어요. 일은 언제부터 가능하세요?”

“언제부터 하면 될까요?”

“아...”

벌써 다섯 번째 ‘아’ 였다.

“다음 주부터 가능해요?”

“네.”

처음으로 듣는 ‘네’라는 답변이 마음에 들었는지 그는 웃으면서 몇 가지 챙겨올 서류에 대해 이야기했다. 그리고는 내게 손을 내밀며 악수를 청했다. 그와 나 사이에 있는 테이블 위에 그의 손이 덩그러니 떠 있었다. 난 잠시 그 손을 바라보았다. 내게 미소 지으며 손을 내민 그는 자기 손을 잡으라고 눈길을 보냈다. 어색하게 뻗은 내 손이 테이블 위를 가로질러 그의 손을 잡았다. 그리고 악수를 했다. 몇 번 손을 아래위로 흔들더니, 그가 천천히 자리에서 일어났다. 그리고 내게 물었다.

"우리 가게 커피는 마셔봤어요?"
질문에 아무런 대답도 하지 못하고 바라보기만 했다. 그러자 그가 재빨리 커피머신 쪽으로 몸을 옮겼다.

"앞으로 여기서 일할건데 한잔 드셔보세요."

이내 커피 원두가 갈리는 소리가 들렸다. 그리고 커피머신을 통해 능숙하게 커피를 내리는 그의 모습이 보였다. 뜨거운 커피가 종이 컵에 담겼다. 뚜껑까지 야무지게 닫아 그는 내게 따뜻한 온기가 가득한 컵을 건넸다.

나는 넋 놓고 그 모습을 바라보다 커피를 받아들었다. 그의 손을 잡았을 때처럼 따뜻했다.

"가면서 드세요. 먹고 가셔도 되고."

두 손으로 그 커피를 받아들고는 고개 숙여 인사했다.

"다음 주 아침 10시까지 오세요. 제가 말한 서류도 챙겨서요!"

그의 말을 끝으로 나는 카페 문밖으로 뭔가에 쫓기듯이 도망쳐 나왔다. 빠르게 걸음을 옮기다 카페에서 어느 정도 멀어졌을 때쯤 멈춰 섰다. 그리고 뭔가를 들키기 싫은 사람처럼 뒤로 한번 슬쩍

보고는 일회용 커피잔의 뚜껑을 열었다. 잔 안에 까만 커피가 김을 모락모락 내고 있었다. 까만 커피 안으로 내 모습이 보이는 것 같았다. 향기를 한번 쓰읍하고 맡은 뒤 입으로 가져갔다. 따뜻한 커피가 내 목을 타고 몸속으로 빨려 들어갔다.

처음 마셔본 카페 커피는 생각보다 썼다.

그런데 좋았다. 뜨거운 커피가 내 피에 스며들어서인지 심장이 뜨겁게 달궈지는 것 같았다.

70.

차가운 등과 누군가 나를 부르는 소리에 눈을 떴다. 처음 보는 아저씨가 나를 걱정되는 눈빛으로 부르고 있었다. 처음에는 뭔가 동굴에서 울리는 것처럼 들리는 그의 목소리가 천천히 또렷해졌다.

“아가씨!! 아가씨 일어나봐요!”

난 숨을 천천히 쉬며 그를 바라보았다. 그리고 천천히 몸을 일으켰다.

"괜찮아요?!"

앉아있는 내게 계속해서 말을 걸었다.

"아니, 괜찮은거에요?"

똑같은 장소, 똑같은 상황...

다른 것이라고 하면 지금 내게 말을 거는 이 남자 처음 보는 사람이다. 그리고 무엇보다.. 내 어깨로 길게 늘어뜨려진 이 머리카락... 그리고 내가 입고 있었던 옷도 아니다. 청바지에 하얀 목폴라티 그리고 두꺼운 회색 점퍼를 입고 있었다. 무엇보다 내게 없었던 것이 생겼다. 이건 내가 한 번도 느껴보지 못했던 무게감이었다. 내 어깨를 아래로 당기는 듯한 뭔가가 내 가슴 쪽에 있었다.

천천히 고개를 돌려 나를 걱정하는 남자를 똑바로 바라보았다.

"저... 여자에요?"

내 말에 동그래진 눈으로 잠시 바라보던 그는 고개를 천천히 끄덕였다. 아마 그는 내 머리가 어떻게 되어버렸다고 생각할 것이다.

그의 응답에 나는 천천히 내 가슴에 손을 가져다 댔다. 그리고 몇 번 쭈물럭했다. 뭔가 몰캉몰캉한 것이 내 두 손 가득 쥐어졌다. 분명히 내게 없던 것이었다.

내 모습을 바라보던 아저씨는 무슨 말을 해야할지 몰라하는 것 같았다. 그래서 괜히 주변을 살피며 눈치를 보고 있었다.

"아가씨... 그... 이름하고 나이는 생각이 나요?"

사고로 인해 기억 상실 같은거에 걸렸다고 생각하나 보다.

"이름..."

잠시 뜸 들였다.

"안젤리나..?"

내 말에 그의 침이 넘어가는 소리가 들렸다. 그 침 소리는 인생에 중대한 문제가 발생했음을 알리는 비상벨 같은 것이었다. 그리고 잠시 머리 굴리는 소리가 그의 눈을 통해 들렸다.

"어.... 젤리나씨... 어디.. 안씨에요..?"

기어코 생각해낸다는 것이 어디 '안'씨냐고 묻는 것이었다. 아무

말 없이 그를 바라보자 그는 허겁지겁 주머니에서 지갑을 꺼냈다. 그리고 내게 몇만 원의 택시비와 명함을 쥐여주었다.

“그 안... 젤리나씨... 그... 병원 꼭 가보시고요.. 제가 바빠서 이거 명함 드릴테니.. 나중에 병원비 꼭 청구하시고요.. 안... 젤리나씨 알겠죠?”

그는 나를 천천히 일으켜 인도 쪽으로 안내했다. 그리고 나를 몇 번이나 힐끔 바라보며 손으로 인사를 하려는 듯 마려는 듯하다, 천천히 몸을 움직여 차를 타고 도망가버렸다.

안젤리나라고 한 덕분에 몇만 원을 쥐게 되었다. 어차피 명함을 가지고 있어봐야 연락할 방법이 없다. 생각해보니, 새로운 ‘정보’의 ‘얽힘’을 통해 이 모습으로 이 세상에 들어오면서 돈이나 지갑, 핸드폰 같은건 모두 없어져 버렸다. 처음 해보는 것이었기 때문에 그런 기본적인 실수를 해버린 것이다. 그래도 성공적으로 나는 내 모습이 아닌 다른 사람의 모습으로 이 세상에 들어올 수 있게 되었다. 신기했다. 제 3세계에 떠돌아다니는 ‘정보’를 모아 ‘얽힘’을 통해 내가 원하는 모습을 만들어 낼 수 있었다. 문제는 이제 내가 나를 잊지 않도록 주의해야 한다는 것이었다. 하지만 그 정도는 문제없을 거라 생각한다. 난 내 모습과 내 기억을 분명하게 기억, 다시 말해 ‘얽힘’을 유지하고 있기 때문이다.

다른 세상에 접속하는 것도 두 번째가 되다 보니 나름 베테랑이 된 것 같은 느낌이 들었다. 그래서 근처 편의점이나 가서 간단히 간식거리로 배부터 채우고 싶었다. 나는 가장 가까운 편의점으로 향했다. 그곳에 문을 열고 들어가니 한 남자 아르바이트생이 앉아서 폰 게임을 하고 있었다. 우유와 빵을 집어들고 계산대로 가 내가 평소 피던 담배를 하나 달라고 했다. 그는 나를 보지도 않고 바로 담배를 꺼내 바코드에 찍기 시작했다.

“8,200원입니다.”

하며 나를 바라봤다. 나는 주머니에서 트럭 아저씨에게 받은 만원짜리 한 장을 꺼내 그에게 건넸다. 근데 그가 받지 않고 가만히 있었다. 난 아무 말 없이 한 번 더 그에게 돈을 건넸다.

“아, 예... 아.. 어.. 얼마죠?”

내가 한 말이 아니다. 방금 8,200원이라고 얘기한 아르바이트생이 내게 다시 묻고 있었다.

“8,200원이라면서요?”

녀석이 멍청해 보여서 퉁명스럽게 이야기했다.

"아.. 네, 그렇죠. 8,200원 입니다."

그는 잔돈을 거슬러 내게 건넸다. 나는 그 돈을 받아들고 편의점 안 테이블에 앉았다. 그리고 빵과 우유를 먹었다.

빵과 우유를 먹으며 생각해보니 막막했다. 이 모습으로 또 다른 나를 어떻게 찾지? 멍청한건 저 아르바이트생이 아니라 나였다. 정말 멍청했다. 그냥, 궁금해서 이렇게 접속해봤는데... 정말 그게 끝이었다. 지금 내 모습은 내가 아니기 때문에 경찰서로 가서 나에 대해 물어볼 수도 없었다. 심지어 이 모습을 가진 사람은 없을 수도 있다. 왜냐면 이건 내가 제 3세계에 떠돌아다니던 정보를 '얽힘'하여 만든 모습이기 때문이다.

정말 망했다.

그냥 빵이랑 우유를 먹으러 여기 온 것이었다. 빵을 입에 가득 물고 멍청함을 자책하며 머리를 몇 번 쥐어박았다.

"으휴!! 멍청이!!"

"아... 아니 왜 그러세요."

아르바이트생은 그런 나를 보며 말로 말렸다. 내가 미친년처럼 보이나 보다. 난 그를 바라보았다.

"저 미친년 같죠?"

그는 잠시 머뭇거렸다. 하지만 그의 입에서 나온 대답은 내 예상 밖이었다.

"아..아니요.. 너무 예쁘세요."

너무 뜻밖의 대답이어서 지금 우리가 대화하고 있다는 사실조차 잊어버렸다. 편의점 안은 침묵만이 흘렀다.

고개를 돌렸다. 그리고 편의점 유리창에 희미하게 비치는 내 모습을 바라보았다. 내가 아닌 여성이 보였다. 자리에서 일어나 천천히 그곳으로 다가갔다.

웨이브가 들어간 풍성한 긴 머리와 오똑한 코, 예쁜 눈매 그리고 아름다운 턱선과 입술까지... 연예인이라고 해도 믿을 만큼 아름다운 여성의 모습이 희미하게 창문에 비쳤다.

"와... 나... 얽힘 잘했네.."

내 말을 알아들을리 없는 아르바이트생을 다시 한번 바라보았다.

얼음처럼 얼어있는 그에게 살짝 미소 지어 주고는 편의점을 도망치듯 나왔다. 내가 도망친 이유는 남자 새끼한테 관심을 받고 있다는 사실 자체가 익숙하지 않았기 때문이다.

편의점을 나온 나는 주변을 두리번하며 어디로 가야하나 잠시 고민하다 무의식적으로 그곳으로 발걸음을 옮겼다. 이곳에서 그렇게 멀지 않은 곳이라 금방 도착할 수 있었다. 아래에 강물이 흐르고 차가운 겨울바람이 불어오는 다리, 그 위에서 난 저 너머 어두운 하늘과 빛나는 건물들을 바라보았다. 그리고 담배를 하나 꺼내 들었다. 그런데 생각해보니 라이터를 사지 않았다.

"아.."

불이 붙지 않은 담배를 입에 물고, 가만히 겨울바람을 맞고 있을 뿐이었다. 그런데 웬걸? 난간 위에 라이터가 하나 놓여있었다. 누군가 나를 위해 놓아둔 것만 같았다. 나는 그것을 들어 바람이 불에 닿지 않도록 손으로 가린 후 담배에 불을 붙였다. 그리고 담배를 힘껏 빨아들였다.

"후우..."

내 긴 머리카락이 겨울 강바람에 휘날리는 것처럼 담배 연기도 바람에 휘날렸다. 그리고는 저 어두운 하늘 어딘가로 날아가 사라져버렸다. 그 모습을 지켜보다 한번 더 담배 연기를 깊게 빨아들였다.
아무리 생각해도 답이 없다. 그냥 자살해서 제 3세계로 다시 돌아간 뒤 원래 내 모습으로 돌아와야 했다. 그것만이 답이었다. 여기서 이런 모습으로 나를 찾기란 불가능에 가까웠다. 난 결국 빵과 우유를 먹고 담배나 한 대 피우려고 여기 온 것이었다.

"후우.."

또 한번 연기가 바람에 날려 어디론가 날아갔다. 그 와중에 저 강 너머 빛나는 건물들이 아름다워 보였다. 오랜만에 이 다리에서 강과 불이 켜진 건물들을 바라보는 것 같다. 하늘은 쾌청해서 달이 밝게 보였다. 달을 보며 한 번 더 담배를 물었다.

담배가 어느 정도 타들어 갔을 때쯤 나는 다리 아래 흐르는 강을 바라보았다. 그 강물이 잔잔한 차원의 문처럼 보였다. 저 물속으로 뛰어 들어야 했다. 이건 자살이 아니라 제 3세계로 가는 문으로 뛰어드는 것일 뿐이라고 생각하며 용기를 가질 수 있도록 마음을 다잡았다. 난 그 차원의 문으로 덜 태운 담배를 던졌다.

붉은빛을 머금은 담배는 어두운 물속으로 사라졌다.

나는 천천히 난간 위로 올라섰다. 다리 난간 위에 서니 마치 저 너머로 날아갈 것만 같은 기분이 들어, 타이타닉의 주인공처럼 두 팔을 벌렸다. 그리고 천천히 눈을 질끈 감았다.
한번 숨을 크게 들이쉬고 한쪽 발을 허공에 띄웠다. 그리고 무게 중심을 앞으로 옮겼다.

그때였다. 누군가 엉덩이 쪽 허리춤을 콱 붙잡으며 뒤로 잡아당겼다.

"으악!!"

난 중심을 잃고 소리 지르며 뒤로 떨어지고 말았다. 물론 바닥이 아닌 나를 잡아당긴 사람의 품 위로 낙하했다.

"억!"

이 소리는 내 입에서 나온 소리가 아니었다. 아마도 나를 온몸으로 받아내면서 나온 소리일 것이다. 난 고개를 돌려 내 뒤에 있는 사람을 보았다. 한 남성이 얼굴을 찡그리고 있었다. 아픔에 눈을 찡그리고 곡소리를 내던 그는 천천히 눈을 뜨며 나를 바라보았다. 그리고 우리는 눈이 마주쳤다.

"아... 으... 괜찮아요?"

앓는 소리를 하면서도 남성은 나를 걱정하며 물었다. 난 천천히 몸을 돌려 자리에서 일어났다. 그러자 그도 허리를 부여잡고 천천히 일어났다.

평범하게 생긴 그는 카키색 야상에 먹색 목폴라 티를 입고 있었다. 그리고 검은색 가방을 메고 있는 것과 앳된 얼굴을 보니 대학생쯤으로 보였다. 난 아무 말 없이 그를 노려보았다. 하지만 그런 것에 아랑곳하지 않고 그는 하얀 입김을 내뿜으며 내게 뭐라고 했다.

“아니, 무슨 일인지는 모르지만 그런 행동은 옳지 않아요.”

“그러니깐, 무슨 일인지 모르잖아. 모르면서 뭐 하는 짓이야?”

나는 퉁명스럽게 쏘아붙였다. 그러자 그는 당황한 기색을 띠며 두 손을 들어 올리며 나를 진정시키려 했다. 내가 그에게 총을 겨누고 있는 것만 같았다.

“아니.. 그... 그렇죠.. 무슨 일인지는 몰라도... 저랑 나이가 비슷하신 것 같은데.. 그냥 볼 수만은 없었어요. 저한테 이야기해 봐요. 도움이 될 수도 있잖아요”

“개... ”

어이가 없어 개소리하지 말라고 하려다 '개'까지만 입 밖에 내어 놓고 입을 다물었다. 그리고 한숨을 내쉬었다.

"하, 됐고. 그냥 가던 길 가세요."

"그냥은 못 가요. 경찰에 신고해서라도 집으로 돌려 보낼거에요."

짜증날 정도로 끈질겼다. 난 집도 없는데 무슨 집이란 말인가? 여기서 저 강으로 못 뛰어들면 어차피 겨울밤 길거리에서 얼어 죽을 텐데, 저기 뛰어들어 죽나 길거리에서 죽나, 내겐 다를게 없었다. 그런걸 알 턱이 없는 녀석이 귀찮았다.

"알겠어요. 집에 갈게요. 갈 테니깐 그쪽도 그냥 가시라고요."

그는 잠시 머뭇거렸다.

"안돼요. 데려다 드릴게요. 그냥은 못 믿겠어요."

화가 났다.

"너가 뭔데 나한테 이래라 저래라야?! 너 스토커야?! 내가 알아서 집에 간다고!! 경찰에 신고 할거야!!! 미친놈이 나 스토킹한다고"

“네, 그럼 그러세요.”

그의 말을 마지막으로 우린 잠시 아무말 없이 차가운 바람을 맞으며 서로를 바라보았다. 다리 위를 달리는 자동차 소리와 바람 소리만이 귀에 들리는 듯했다. 자동차의 라이트는 차가운 겨울 공기를 뚫고 나아가는 것 같았다. 차갑기만 한 우리 사이의 공간을 먼저 뚫은건 나였다.

“없어요.”

하지만 저 짧은 말에 그가 모든 것을 이해할 수는 없었고, 당연히 멍청하게 나를 바라보기만 하고 있을 뿐이었다.

“갈 곳이 없다고요.”

이러면 어쩔건데? 라는 생각으로 나는 갈 곳이 없다고 솔직하게 그에게 사정을 털었다.

“돈도 없고, 핸드폰도 없고 아무것도 없어요.”

반항적이면서도 왜 그런 말을 했는지 솔직히 모르겠다. 그냥 그가 어떻게 나올지 궁금했을 수도 있고... 사실, 아무런 생각이 없었다. 뭔가 그에게 모든 선택을 떠맡긴 느낌이었다. 내 말에 그는 잠시

고민하는 것 같았다.

"어... 집이 없다는 거에요? 아니면... 집을 못 찾는거에요? 그것도 아니면...."

"집 나왔어."

난 그의 말이 끝나기도 전에 거짓말로 그를 쏘아붙였다. 또다시 내가 총을 그에게 들이미는 것 같았다. 하지만 그는 두려워하는 것 같진 않았다.

"무슨 일인진 모르겠지만... 오늘 밤 제가 여기서 그쪽을 두고 떠나고, 그쪽이 저 강에 뛰어들거라면 차라리 우리 집에서 주무세요."

그의 말에 많은 생각이 머릿속을 지나쳤다. 내가 누군지 알고 자기 집에 들인다는 것이지? 내가 여자라서 어떻게 해보려고 저러는 것일까? 솔직히 지금 내 모습이 나쁘지 않으니 말이다. 하지만 그의 모습이 최소한 범죄자처럼 보이진 않았다. 물론 범죄자가 얼굴에 범죄자라고 쓰고 다니진 않지만.

"날 뭘 믿고?"

“제가 당신을 못 믿는다고 해도, 당신은 날 믿어도 돼요.”

또 우린 아무 말 없이 서로를 바라보았다. 강바람이 옷 사이사이로 스며들어 몸을 차갑게 식혀가고 있었지만, 이상하게 날 그곳에서 도망치도록 만들지는 않았다.

잠시 아무런 생각 없는 고민에 빠졌다. 하지만 결국, 나는 그를 따라 그의 집에 가기로 마음먹었다. 그리고 그에게 다가갔다.

“그래요, 가요. 앞장서요.”

이 상황이 앞으로 어떻게 진행될지 궁금하기도 했고, 될 데로 돼보라는 식이었다.

“정말요?”

이번엔 남자가 본인이 확신이 없는 것처럼 당황해했다.

“네.”

내 마지막 대답에 그는 조금 주춤거리다가 발을 천천히 움직였다. 남자는 앞장서 가면서도 이따금 뒤따라 오는 나를 돌아보며 자신의 집으로 이끌었다. 그의 뒤를 따라간 곳은 대학교 근처 원룸촌

이었다. 남자는 거기서 자취를 하고 있었다. 문을 열고 집에 들어서면서 내게 말했다.

"집이 좀 좁고, 더러운데... 잠시만요."

하면서 후다닥 들어가며 방바닥에 있던 옷과 책들을 급하게 치우기 시작했다.

한 7평쯤 되는 방에 옷장과 책상 그리고 냉장고가 서로 어깨를 부딪치고 있었고, 모서리 한 켠에 침대가 들어서 있었다. 그것만 해도 이미 집은 꽉 차 있었다. 책상 위에는 두꺼운 전공 서적들이 이리저리 널브러져 있었다.

"저는 여기 바닥에서 잘 테니깐, 침대에서 주무세요."

하며 자신의 겉옷을 벗어 의자 위에 대충 걸었다. 그리고 그는 내게도 외투를 달라고 손을 뻗었다. 나는 천천히 두꺼운 회색 외투를 벗어 그에게 건넸다.

"수건은 화장실 안에 선반 위에 있으니깐, 씻으시려면 씻으셔도 돼요. 뭐, 불편하겠지만... 편하게 계세요."

이후 우리는 불을 끄고 나는 침대 위에, 그는 침대 아래에 이불을 펴고 누웠다. 원룸에 작게 마련된 창문으로 바깥 조명 빛이 희미하게 들어왔다. 그 희미한 불빛 덕분에 어두운 천장이 보였다. 파란색으로 물든 것만 같은 천장을 바라보며 그에게 뭔가를 묻고 싶었지만, 머릿속으로 생각만 하고 입 밖으로 내지는 않았다. 그냥 조용히 이 밤을 보내기로 했다.

사실, 모르겠다. 내가 왜 그를 따라 이곳에 와서 침대에 누워있는지. 그가 날 죽게 내버려두지 않을 것 같아서일까? 아니면 다리 위에서 그가 내게 던진 어떤 말이나 행동 때문일까? 이상하게 그와 내가 서로 바라보며 강바람을 맞던 그 순간이 내 머릿속에서 해가 저물어가는 저녁노을처럼 짙게 내려앉은 것만 같았다.

71.

아침에 눈을 떴을 때 그는 없었다. 피곤해서 내가 늦게 일어난 것도 있지만, 그가 일찍 나간 것도 맞는 것 같다. 책상 위엔 어제저녁에만 해도 널브러져 있던 두꺼운 전공 책 대신 노란색 포스트잇 하나가 남아 있었다.

'저는 9시 강의가 있어서 먼저 나가요. 집에서 좀 더 쉬다가 가셔도 되고, 또 가서 죽을 생각이면 그냥 저랑 점심 같이 먹어요. 먹

고 죽은 귀신이 때깔도 좋다잖아요.'
그리고 글 아래에 본인이 다니는 대학교 이름과 12시쯤 정문에서 보자는 내용이 이어져 있었다.

난 반사적으로 책상 위에 올려져 있던 작은 시계에 눈이 갔다.

AM 11:03

그가 말하는 대학교는 여기서 멀지 않았다. 일어나니 배가 좀 고프기도 하고, 그래 죽기 전에 맛있는 것도 먹으면 좋겠다 싶어, 나는 수건 하나를 챙겨 화장실로 들어갔다.

샤워 후 젖은 긴 머리를 말리는 일은 여간 귀찮은게 아니었다. 아무리 말려도 이놈의 머리카락은 마를 생각을 하지 않았다. 그러는 동안 시계의 시간은 12시를 향해 빠르게 달리고 있었다. 괜히 마음이 조급해져 머리를 조금 덜 말린 채 밖으로 뛰어나왔다. 급하게 신발을 신는 도중 현관에 있던 거울에 내 얼굴이 비쳤다. 분명 예쁜 얼굴이긴한데 화장을 하지 않아도 괜찮을까? 라는 생각이 잠시 들었다지만, 그런 생각이 들자마자 고개를 몇 번 가로저었다.

'뭔 상관이야 미쳤어?'

나는 신발에 대충 발을 집어넣고는 종종걸음으로 밖으로 나가면서 발을 신발에 끼워 맞췄다. 그런데 그는 내가 정말 나올거라 생각하고 그렇게 쪽지를 남긴 것일까? 늦은거 같아 조금은 빠른 걸음으로 움직였다. 이상하게 그 걸음 속도만큼이나 내 심장도 천천히 뛰는 것 같았다. 내가 가지 않으면 무한정 기다리기만 하려 했을까? 아니겠지 그냥 한 5분만 기다리다가 가지 않았을까?

차가운 겨울의 공기가 덜 마른 머리카락을 얼리는 것 같았다. 그러면서도 찬바람에 이따금 휘날렸다. 도착한 그곳엔 여기 학생으로 보이는 사람들이 많았다. 대학생들이 삼삼오오 모여 차가운 바람을 뚫고 점심으로 무엇을 먹을지 고민하며 이동하고 있었다. 난 그 속에서 버려진 아이처럼 서 있었다. 이렇게 많은 인원 사이에서 그를 찾을 수 있을까 라는 생각으로 눈동자를 굴리고 있었다. 그때, 누군가 뒤에서 수건으로 내 차가운 머리를 감쌌다. 난 살짝 놀라며 뒤로 돌아보았다. 그 남자였다. 히잡을 쓴 것처럼 수건을 두르고 나는 남자의 얼굴을 바라봤다.

"머리도 덜 말리고 온 거에요?"

"아니.. 이렇게 안 마를지는 몰랐어요. 근데 수건이 왜 있어요?"

"아, 가방에 수건을 하나 넣고 다니거든요. 농구를 즐겨하는 편인데 오늘도 하게 되면 땀 닦을용으로요."

“아, 네… ”

우린 어색하게 잠시 눈을 다른 곳으로 돌리면서 서로를 마주하고 있었다.

“어.. 이거 그럼 땀 닦던 거에요?”

나의 날카로운 질문에 그는 두 손을 들며 손사래 쳤다.

“아니에요. 걱정 마요 이건 아직 깨끗한 거에요.”

살짝 부는 찬바람에 하얀 수건에 묻혀 있던 섬유유연제 향이 내 코에 스며들었다.

“뭐… 먹을래요?”

“네?”

나의 반문에 그는 눈알을 한번 왼쪽으로 왔다 돌아오면서 미소를 지었다.

“저랑 밥 먹으려고 온거 아니에요?”

그 말에 나는 두 입술을 깨물며 고개만 끄덕였다.

바람이 차서일까 왠지 모르게 그의 두 볼이 빨개져 있는 것처럼 보였다. 그 모습을 감추려고 하는 사람처럼 그는 급하게 말을 던졌다.

“지금 건너야 돼요! ”

내 뒤로 신호등을 바라보던 그는 손으로 그쪽을 향해 가리켰다. 나도 뒤돌아 그곳을 바라보았다. 도로 건너편에 서 있는 신호등이 초록불을 밝히고 있었다. 그 옆으로 남은 시간을 알려주는 숫자가 카운트 되고, 사람들은 이미 횡단보도를 건너고 있었다.

“우리도 가요.”

초록불의 이 신호가 우리를 어디로 이끌지는 모르겠지만, 나는 그에게 이끌려 그 신호를 놓치지 않기 위해 발걸음을 옮겼다.

72

내 몸을 파고들던 매섭고 차가운 바람은 가고, 만물을 품어줄 것 같은 따뜻한 바람이 부는 계절이 왔다. 두꺼웠던 옷은 얇아졌고, 어두운 옷 색깔은 밝은색으로 바뀌었다. 그리고 멀게만 느껴졌던 그와 난 저 흔들리는 개나리들처럼 가까워졌다.

지금 난 그를 기다리기 위해 대학교 캠퍼스 벤치에 앉아 있다. 캠퍼스엔 어느새 벚꽃들이 피고 있었다. 바람이 불 때마다 휘날리는 벚꽃 사이로 손을 꼬옥 잡고 걷고 있는 커플들이 보였다. 나도 그와 함께 걷기 위해 그 모습을 바라보며 봄날 바람에 흔들리는 벚꽃 풍경을 즐기고 있었다.

내 무릎 아래 하늘하늘 날리는 치맛자락이 고양이의 장난감처럼 보였는지, 밝은 갈색의 길고양이 한 마리가 내 다리로 와서 애교를 부리고 있었다. 그 모습이 귀여워 긴 머리카락을 자연스럽게 귀 뒤로 넘기면서 고개를 숙여 고양이의 머리를 쓰담 해주었다.

"난 먹을게 없는데?"

그럼에도 불구하고 고양이는 내 손에 볼을 비비면서 야옹 하며 애교를 부렸다. 난 그 모습에 매료돼 시간 가는 줄 모르고 고양이와 놀고 있었다.

"언제부터 고양이를 키우기 시작했어?"

고양이를 바라보던 나는 그 다정한 목소리에 고개를 들었다. 어느새 남자친구가 곁에 와있었다. 겨울바람이 매섭게 불던 다리 위에서 서로 경계하며 바라보던 그 모습은 이제 우리 둘 사이에서는 찾아볼 수 없다. 다리 위에서 뛰어내리려던 나를 끌어당기며 온몸으로 나를 받은 이 남자, 내가 누군지도 모르면서 자기 집에서 자라고 했던, 차갑게 젖은 머리카락을 향긋한 수건으로 감싸주던 그 남자와 난 연애를 시작하게 됐기 때문이다.

나는 벤치에 일어나면서 손을 털었다. 그를 향해 몸을 돌렸을 때 그는 내 손을 잡았다. 그러자 고양이는 자기에게 손길을 주던 손을 뺏은 남자친구를 노려보듯 멀뚱히 쳐다보며 '야옹'이라고 한번 소리 냈다. 그러다가 자신의 털을 그루밍 하기 시작했다.

"아니, 앉아있는데 왔어. 너무 귀엽다. 그치?"

그를 바라보며 웃으며 대답했다. 그도 나를 보며 웃으며 말했다.

"그러다가 간택 당하면 큰일 나. 내가 고양이를 두 마리나 키워야 하잖아. 큰 고양이랑 작은 고양이"

남자친구가 말하는 큰 고양이는 나였고, 작은 고양이는 그루밍하다가 멈추고 멀뚱히 서 있는 이 아이일 것이다. 나는 그날 이후 남자친구의 집에서 얹혀살고 있다. 집에 돌아가기 싫으면 여기서 지내도 좋다는 그의 쑥스러운 말에 난 그러겠다고 했다. 그렇게 우리는 작은 원룸에서 동거하게 되었고, 둘은 살을 부딪치며 살게 되었다.

“뭐 먹을까?”

나와 남자친구는 손을 잡고 벚꽃이 만개한 길을 천천히 걸었다. 천천히 내 걸음 속도에 맞춰주는 그의 세심한 배려를 느끼면서, 나는 그와 발을 맞췄다.

“음..? 학식[3]?”

그를 보며 웃으며 대답했다. 그 모습을 가만히 바라보던 남자친구는 조금은 씁쓸한 표정을 지으면서도 고개를 끄덕였다.

난 나에 대한 정보가 없기 때문에 누구인지도 모르고, 어디 사는지도 모르며, 어쩌면 이 세상에 존재하지 않는 사람일 수도 있었다. 그래서 내가 갈 수 있는 곳은 그리고 내가 할 수 있는 것은 아무것도 없었다. 마치 기억 상실증에 걸려버린 비련의 여주인공 같은 기분이었다.

그와 알고 지낸지 얼마 안 됐을 때 그는 내게 이름과 나이를 물

3) 학생 식당의 줄임말

었었다.

“근데 이름이 뭐야? 나이는..?”

난 그의 질문에 잠깐 멈칫했다. 그러다 내 머릿속에 떠오른 사람의 이름을 대뜸 던져버렸다.

“임유라. 임유라야. 어 .. 나이는 23살?”

끝을 올려 말하는 김에 오히려 내가 그에게 내 나이를 묻는 것처럼 되어버렸다. 그래서 멀뚱히 나를 바라보던 그를 향해 다시 확실히 말했다.

“23살이야.”

그러자 그는 뭔가 골똘히 생각하는 것처럼 천천히 숨을 들이켰다.

“어... 누나네..?”

그 이상의 정보는 내게 묻지 않았다. 그냥 사연이 있겠거니 하며 나를 배려했던 것 같다. 그런데 한 날은 식사 도중 그가 내게 간첩이냐고 물은적이 있다.

"혹시 누나 간첩이야?"

간첩이라는 말에 나는 입에 있던 밥알을 그의 얼굴에 발사해버렸다. 그러자 그는 자신의 얼굴에 묻은 밥알을 손으로 떼며 말을 이었다.

"맞네, 미사일 발사하는거보니 북조선에서 왔나 보네."

그 말에 웃음이 터져버려 한번 더 발사해버렸다. 더러울 수 있는 내 밥풀을 얼굴에서 때서 아깝다며 입으로 주워 넣어버리던 그 모습이 귀여워 보였다. 물론 난 손사래를 쳤지만 말이다.

"누나가 북조선 사람이라도 괜찮고, 간첩이라도 괜찮아."

난 미소로 응답했다.

"근데 간첩 신고하면 11억인가?"

이렇게 장난도 치며 늘 웃는 모습으로 아무것도 아닌 것처럼 나를 대하지만 사실 그도 의아한게 많을 것이다. 그리고 경제적으로도 압박을 많이 받고 있을 것이다. 데이트 비용에서부터 우리 생활비 전부를 혼자서 부담하고 있으니 말이다.

"오늘은 좀 더 맛있는거 먹고 싶었는데, 학식 괜찮아?"

이렇게 벚꽃 날리고 예쁜 봄에는 좀 더 멋진 곳에서 맛있는걸 먹고 싶었는지 그는 내게 미안한 듯이 물었다.

"응, 난 너희 학교 학식 너무 맛있는데?"

하지만 미안한건 오히려 나였다.

"그리고 난 뭘 먹든 상관없어, 너와 함께면"

내가 일을 구해보려고 노력을 안 했던건 아니다. 음식점, 카페 등등 면접을 보러 가면 괜찮은 외모 덕분인지 쉽게 합격했지만, 보건증이나 4대보험 가입을 위한 기본적인 서류가 필요했고, 그래서 번번히 실패했다. 물론 그런걸 필요로 하지 않는 곳을 찾기 위해 노력 중이다. 그리고 이제는 정말 구해야만 할 것 같다.

시간을 아껴서 과외를 하며 번 돈으로 내 옷은 사주면서, 본인은 낡은 중고 교재를 구매해서 수업 듣는 모습이 미안했다. 그래서 난 더 열심히 집 청소라도 했나 보다. 항상 그가 돌아오길 기다리며 빨래며 방 청소며 친엄마 못지 않을 정도로 열심히 한 것 같다. 그런데 이제는 그게 중요한게 아니었다.

그와 더 좋은 것들을 하고 싶다. 예쁜 카페를 가서 맛있는 커피와 디저트도 먹고, 가끔은 번듯한 레스토랑에 가서 밥도 먹고 싶고, 할인 판매하는 맥주로 좁은 원룸에서 술을 마시기보단 핫한 술집에서 같이 소맥을 말아먹고 싶다. 그렇게 취해서 가끔은 그에게 업혀서 집에 돌아와 보고 싶기도 하다. 밤바람을 쐬다 인형 뽑기 집에 가서 천원, 이천원 돈을 날려보고 싶기도 하다. 여행도 가고 싶다. 기차를 타고 바다가 보이는 저 너머로 가서 함께 해변가에서 놀다, 같이 누워있고 싶다.

흔들리는 바람에, 흩날리는 벚꽃에, 다가오는 꽃내음에
그를 향한 내 마음은 점점 커져만 가는 것 같다.

언젠가는 그와 함께 영원한 사랑을 다짐하고 싶다.

73

오늘은 꼭 아르바이트를 구해보겠다는 생각에 밖으로 나왔다. 하지만 아무런 소득 없이 이 가게 저 가게 살펴보며 다닐 뿐이었다. 정말 막노동이라도 해야 하는건가 생각하다 사거리 횡단보도 앞에서 빨간불에 두 다리는 멈춰 섰다. 차들이 신호에 맞춰 가야 할 길을 물고기마냥 몰려 움직이고 있었다. 어항을 바라보듯 아무런 생각 없이 그 모습만 바라보았다.

오른쪽편에서 누군가 소리치는 소리가 들렸지만 나와는 상관없는 소리였다. 이 도시엔 많은 사람이 있고, 당연히 셀 수 없는 소음이 있을테니깐 말이다. 그저 저 건너편 빨간 신호등이 파란불로 바뀌기만을 기다렸다.

"다희야!!"

누군지 모를 사람이 계속해서 이쪽을 향해 소리치는 것 같았다. 하지만 난 그쪽을 향해 바라보지 않았다. 그러자 잠시 후 누군가 내게 가까이 다가와 내 어깨에 손을 올리며 말을 걸었다.

"다희야..."

고개를 돌려보니 그곳엔 30대로 보이는 남성이 나를 바라보고 있었다. 그가 내게 '다희'라고 부르고 있었던 것이다.

이게 무슨 상황인지 이해되지 않았다. 나는 아무것도 모른다는 표정으로 그를 바라볼 뿐이었다. 그때, 신호가 초록색 불로 바뀌었다. 나와 그를 제외한 다른 사람들은 신호에 맞춰 횡단보도를 건너기 시작했다.

"다희야... 잠시 대화 좀 하자."

분명히 그는 나를 '다희'로 알고 있었다.

"저...요?"

정말 무슨 영문인지 몰라 그에게 되물었다.

"그러지 말고... 잠시만... 잠시만 얘기 좀 하자."

그의 눈은 진심이었다. 나를 다른 사람과 착각한게 아니었다. 이건 나를 '다희'라는 사람으로 완벽하게 인지하고 있는 상황이었다. 그러자 내 뇌리에 뭔가가 번뜩하고 스쳐 지나갔다.

난 이 세상에서 '다희'라는 사람이었다.

제 3세계에서 내가 원하는 데로 정보를 얽힘 하여 만들었기 때문에 실존하지 않는 인물이라고 생각했었는데 그것이 아니었다. 이 세상에서 나는.. 아니, 또 다른 나는 존재했다.

갑자기 심장이 뛰기 시작했다. 뛰는 심장에 피가 머리부터 발끝까지 돌면서 뭔가 잊고 있었던 기억을 되찾은 것만 같은 느낌이 들었다. 맞다, 나는 나를 찾아야 했다.

"네! 그래요. 우리 대화해요."

그래서 너무나 쉽게 그와의 대화를 승낙했다. 오히려 나의 승낙에 그가 조금은 당황한 것처럼 보였다. 하지만 이내 그는 자신과 함께 카페로 가서 대화하자고 했다. 그렇게 난 처음 보는 카페로 가게 되었다. 걸어서 가기에 그렇게 멀지 않은 곳에 있었다. 프렌차이즈는 아닌 것 같았지만, 어느정도 규모가 있는 개인 카페였다. 카페 안으로 들어가니 일부 테이블에 손님들이 앉아서 도란도란 얘기를 나누며 커피를 마시고 있었다. 그는 카운터로 빠르게 몸을 옮겨 손에 들고 있던 짐을 그곳에 두고는 내게 가까운 테이블에 앉으라며 손짓했다. 아마도 그가 여기 사장인가 보다. 최소한 그렇게 보였다. 나는 머뭇머뭇거리다 바로 옆에 있던 원형 테이블에 있는 의자에 앉았다.

"커피... 마실래?"

웬지 모르게 그 권유가 조금 머뭇거려지는 느낌이었다.

"싫으면.. 뭐... 다른거 줄까?"

커피가 마시고 싶었다. 이유는 알 수 없지만, 까맣고 따뜻한 커피가 땡겼다.

"아니요, 커피 주세요.. 아메리카노... 따뜻한걸로요"

그러자 그는 살짝 멍하게 생각하는 표정을 짓더니, 천천히 몸을 돌려 능숙하게 원두를 갈기 시작했다. 커피머신이 작동하는 소리와 함께 따뜻한 에스프레소가 나오는 소리가 들렸다. 커피를 만드는 그의 뒷모습은 누가 봐도 영락없는 바리스타 같았다.

잠시후 따뜻한 커피 두 잔을 들고 내가 앉아있는 테이블로 그가 왔다. 한 잔은 내 앞에, 다른 한잔은 자신의 앞에 두며 반대편 의자에 앉았다. 우린 우선 커피를 한 모금씩 마셨다. 까맣고 따뜻한 커피가 내 목을 타고 넘어들어갔다. 향도 꽤 좋았다. 잔에서 입을 떼고 먼저 입을 연 것은 그 남자였다.

"그렇게.. 가버리면 어떡해... "

그렇게 말해도 나는 무슨 말인지 알아들을리가 없었다. 하지만 내가 이 사람이 찾는 그 '다희'가 아니라는 사실을 걸리면 안됐다. 그래서 일단은 말을 아꼈다. 그가 좀 더 단서를 내게 주기를 바랬다.

"아니.. 최소한.. 일한 돈은 받고 가야지..."

남자의 말에 따르면 아마도 난 여기서 일했던 직원이었나 보다.

근데 내가 잠수를 탄건지 도망을 간 것인지, 어찌 됐던 도망친건 사실인 것 같다. 사장이 악덕 사장이었는가? 하지만 그의 걱정어린 눈빛과 분위기로 보아서는 그렇게 보이진 않았다. 조금 머리를 굴려보았다.

“그냥, 계좌로 보내주시지 그랬어요.”

내 말에 그는 잠시 나를 지긋이 바라볼 뿐이었다.

“그래도... 마지막으로 얼굴이라도 보고....”

말 끝을 흐렸다. 그리고 잠시 머뭇거리던 그는 다시 천천히 입을 열었다.

“아니... 마지막이고 싶지 않아.”

무거워 보이는 그 입술은 다시 한번 온 힘을 다해 열렸다.

“함께 일하고 싶어... 진심이야.”

나는 그저 그를 바라보고 있을 뿐이었다. 테이블 위에선 뜨거운 커피가 김을 모락모락 내며 조금씩 식어가고 있었다.

지금까지 남자의 말을 대충 해석해보면, 내가 무슨 이유 때문인지 모르겠지만 일을 그만두었고, 일을 잘해서인지 그는 다시 내가 여기서 일하기를 바래하는 것 같았다. 무엇보다도 이 남자는 아직 월급을 '다희'에게 주지 않았다. 그것이 포인트였다. 이건 기회였다. 꽁돈을 버는 동시에 일자리도 얻을 수 있었다. 하지만 분위기상 여기서 신나서 '네! 여기서 계속 일하겠습니다!'해서는 안 될 것 같았다. 뭔가 '이러면 안 되지만 너의 성의를 봐서 그렇게 하도록 하겠다' 느낌으로 연기를 해야만 할 것 같았다.

"아..."

이렇게 일단 뜸을 들이는게 중요하다. 살짝 고개를 숙이며 고민하는 척했다. 그러면서 그의 눈치를 살폈다. 내 앞에 앉은 사장의 눈빛은 진심이었다. 내가 여기 계속 머물러있기를 바랬다. 그래서 조금 욕심을 내볼까 한다.

"그럼 시급을..."

내가 입을 다 떼기도 전에 그가 먼저 대답했다.

"시급? 더 올려줄게. 그러니깐.. 그냥 여기 있어주라."

마음속으로는 미소가 지어졌다. 하지만 겉으로는 들어내지 않았다.

완벽한 포커페이스 그것이었다. 내심 뿌듯했다.

“그럼, 밀린 월급은 그냥 현금으로 주세요.”

“지금 당장?”

“네.”

사장은 잠시 머뭇거렸지만 금세 대답했다.

“알겠어. 아, 그리고 잠깐만”

그리고 뭔가가 생각난 듯 급하게 자리에서 일어나 카운터로 갔다. 카운터 및 서랍 속에서 뭔가를 꺼내는 것 같았다. 테이블로 돌아오는 그의 손에 들려있는 것은 자그마한 노란 상자였다. 그는 다시 의자에 앉아 테이블 위로 그것을 내게 건넸다.

“이게.. 뭐에요?”

“핸드크림이야. 저번에 주려고 했는데... 그렇게 가버려서 못 줬네... 너 손이 좀 튼 거 같길래...”

나는 의식적으로 테이블 아래에 놓여있던 내 두 손을 바라보았다.

하얗고 가녀린 손등은 그저 매끄러웠다. 어찌됐던 나를 위해 챙겨주는 핸드크림이었기에 그것을 두 손으로 받았다. 그리고 감사의 의미로 고개를 살짝 숙였다. 핸드크림을 받아 든 내 모습에 그는 미소를 지어 보였다. 직원의 손 상태까지 챙겨주는 이런 꼼꼼하고 착한 사장이 있는 직장을 또 다른 나는 왜 그만둔 걸까?

알 수 없었지만, 일단은 지금 상황에선 내게 딱 맞는 기회였고, 이 기회를 통해 또 다른 나를 찾을 수도 있을 것 같았기에 지금 상황을 받아들이기로 했다.

그리고 다음날부터 나는 카페로 출근하게 됐다.

카페에서 일해본 적이 없던 나는 당연히 얼 탔다. 하지만 그는 내가 한동안 일을 하지 않아서 그런거라고 생각하는 것처럼 보였다. 내가 실수를 해도, 커피를 내리는 것이나 라떼를 예쁘게 만드는 것을 잘 못해도 혼내지 않았다. 그저 웃으며 다시 내게 하나하나 가르쳐 줄 뿐이었다. 난생처음 배우는 카페 일이었지만 그의 자상한 가르침 아래 빠르게 일을 배울 수 있었다. 물론, 그가 나에게 이것저것 가르친답시고 은근히 스킨십을 하는게 기분이 조금 나쁘기는 했지만 별로 신경 쓰지 않기로 했다. 괜히 내가 예민한 것일 수도 있으니 말이다. 그렇게 일주일 정도 시간이 흘렀다. 어느 정도 일이 손에 익혀졌다. 물론 완벽하진 않았다. 그래서인지 그는 그 이후에도 계속 나와 함께 일했다.

75.

면접 때 그가 말한 모든 서류를 챙기고 드디어 카페로 출근하게 되었다. 아침 오픈 중이었던 그는 나를 보자 환하게 웃으며 인사를 했다. 나는 그 모습을 보며 고개를 어색하게 숙이며 인사했다.

“어서 와요. 개인 카페라서 따로 유니폼은 없어요. 그 대신 이거 앞치마는 둘러주세요. 그리고 머리는 깔끔하게 묶어서 올려주세요.”

난 그의 요구대로 앞치마를 두르고 고무줄로 머리를 묶어 올렸다.

“한동안은 저랑 같이 일하면서 배우는 시간을 가지도록 할게요.”

이후 나는 2주간 그와 함께 일하며 일을 배웠다. 처음으로 원두를 갈아보았고, 처음으로 커피도 내려보았고, 처음으로 아메리카노를 만들어 보았다. 내가 마셨던 그 까만 커피, 그것은 아메리카노라는 것이었다. 그리고 우유를 스팀에 데워서 에스프레소와 섞으면 그것은 카페라떼였다. 여기에 초코가 들어가면 카페모카였다. 이것저것 섞어가며 내가 전혀 모르던 것들을 하나하나 만들어갈 수 있었다. 그 과정에서 커피 원두를 가는 소리, 커피머신을 이용해서 커피를 내리는 소리와 커피를 만들면서 나는 향기들이 내 오감을 자극했다. 처음으로 접하는 것 같은 새로운 오감 자극에 나는 뭔가 지금까지 느껴보지 못했던 살아있음을 조금씩 느껴가고 있었다.

2주쯤 되었을 때, 그는 내게 카페라떼에 예쁜 모양을 내는 방법을 가르치기 시작했다.

"자, 우유를 섞을 때 이렇게 흔들면서 천천히 부으면..."

그는 잔에 우유를 천천히 흔들어 부으며 하트 모양을 만드는 것을 내게 보여주었다.

"이렇게 하트 모양이 나오죠? 어때요, 예쁘죠?"

"우와..."

신기했다. 나는 그냥 섞으면 아무런 모양 없는 카페라떼가 되었지만, 그의 손길에 따라 커피는 아름답게 되었다.

"한번 해보세요."

우유가 담긴 주전자를 들고 천천히 그가 한 것처럼 우유를 부었다. 서툰 내 손을 그가 감싸 쥐었다. 그리고 천천히 함께 하트 모양을 만들어주었다.

처음으로 내가 만든 것에 하트 표가 또렷하게 띄워졌다. 기쁜 마음에 나도 모르게 미소 지었다.

"어?! 웃네요?"

내 두 손을 잡은 채 나를 보며 그렇게 말했다. 그 말에 나는 그의 얼굴을 바라보았다. 아무 말 없이 나를 바라보는 그의 얼굴이 내 얼굴 바로 앞에 있었다. 내 얼굴 어디에서 뭔가를 찾는것만 같은 눈빛에 어떻게 반응해야 할지 몰라 눈을 슬쩍 피했다. 내 시선에서 벗어난 시야에서 그의 얼굴이 천천히 다가오는 것을 느꼈고, 그곳으로 다시 천천히 고개를 돌렸다. 그리고 우리의 입술은 살짝 부딪혔다.
나도 모르게 몸이 경직되고 숨은 멈췄다. 이런 스킨십은 너무나 많이 겪었지만, 이건 달랐다. 탯줄을 끊고 나서 처음으로 입술을 맞대어 보는 아이가 된 것 같은 느낌이었다.

그는 내 눈을 바라보며 희미한 미소를 띠며 다시 천천히 키스했다. 그의 손은 내 허리 쪽에 있던 치마의 지퍼에 손이 올라가 있었다. 난 그의 품속에서 천천히 눈을 감았다. 그리고 내 치마의 지퍼가 내려갔다. 치마는 헐렁해지면서 바닥으로 스르륵 떨어졌다. 이상하게 부끄러웠지만, 그에게 모든걸 맡기고 싶었다.

우린 이후에도 종종 사랑을 나눴다. 마감 시간 카페에서도, 한가 할 때 카페 화장실에서도, 그의 차에서도, 그가 원할 때마다 우린 사랑을 나눴다. 하지만 그건 작은아버지의 그것과는 달랐다. 난 그가 원하는 건 모두 들어주고 싶다. 그도 나를 아껴줬다. 이런게 사랑인가보다. 단 한번도 느껴보지 못했던 감정의 교환. 가끔 TV에 나오는 멜로 영화의 주인공들이 서로 나눈 그 감정. 그것이 아마 이것일 것이다. TV 너머 저 먼 세상의 다른 이야기로 생각했던 것이 내게도 온 것이다.

우린 종종 같이 맛있는 것을 먹기도 했고, 카페가 조용하면 커피를 함께 나눠마시며 이런저런 이야기도 많이 나누었다. 그렇게 카페 안에서 남모를 사랑을 키워가고 있었다.

커피 향은 나를 카페로 이끌었고, 커피는 나를 사랑으로 이끌었다. 비록 그와 함께할 수 있는 시간은 카페 마감 전까지였지만, 내가 숨을 쉬며 살아가는, 심장이 뛰는 유일한 시간이었다.

거칠고 어두운 내 도화지에 따뜻한 붓이 닿기 시작한 것 같다. 짙고 멍든 붉은색이 아니라, 맑고 따뜻한 빨강색이 얹어지는 것만 같았다. 앞으로 어떤 그림을 그려나갈지는 모르겠지만, 난 그에게 모든 것을 맡길 것이다. 그는 어두운 내 삶에 내려진 한 줄기 빛이다. 나는 그 빛을 쫓아가야만 한다.

76.

오늘 사장님은 다녀올 때가 있다며 아직 카페로 출근하지 않았다. 평일 낮엔 사람이 많지 않은 편이므로 혼자서도 충분히 감당할 수 있었다. 차례로 들어온 손님들의 주문을 하나씩 처리하고 나니 여유로워졌다. 그래서 내가 마실 커피를 한잔 내리려고 원두를 갈았다. 에스프레소를 내리고, 따뜻하게 데워진 컵에 따랐다. 맑은 갈색 빛 커피가 잔에 얹어졌다. 그리고 요란하게 시끄러운 소리를 내는 스팀으로 우유를 데우고, 데워진 우유를 컵에 조심스럽게 부었다. 그러면서 천천히 하트 모양을 만들어 보았다. 커피의 중앙에 커다랗고 하얀 하트가 만들어졌다. 그것을 보며 내심 뿌듯했다.

커피향을 맡아본다. 그리고 커피를 한입 마셨다. 따뜻하고 부드러운 커피가 기분을 좋게 만들어주는 것 같다. 따뜻한 햇살이 카페 창문을 통해 들어오고, 따뜻한 커피 향....

“저기요.”

커피를 마시다 흠칫 놀라며 목소리가 들리는 쪽으로 고개를 돌렸다. 머리를 뒤로 묶은 30대 초반으로 보이는 여성이 카운터 앞에서 한 손엔 종이 가방을 들고 나를 바라보고 있었다. 배가 제법 나온걸로 보아 임신한 상태인 것 같았다. 커피를 만드느라 그 손님이 들어온지도 몰랐나보다.

"아, 네. 어서오세요. 주문하시겠어요?"

나의 물음에 그녀는 미소를 띠며 말했다.

"아, 아니에요. 커피는 괜찮아요."

그리고 그 이후에 나온 그녀의 말은 내가 전혀 예상하지 못한 말이었다. 마치, 전혀 내 세상에선 없었던 새로운 말을 들은 것 같은.. 아니다, 그 말은 사실 오래전부터, 아주 태초부터 존재했지만 내 삶과 연관이 없었고, 내 삶이 아니었기에, 그리고 내겐 전혀 있을 수 없는 일 그 자체... 아예 없는 거나 마찬가지라서 이게 있었는지조차 잊어버리고 있었던 그 말..
그 말이 갑자기 나타나 내 가슴을 정통으로 뚫고 지나가, 내 머릿속을 바느질하듯 꾀었다.

"저 여기 사장님 집사람이에요."

자동차에 부딪히기 전 시선으로 들어오는 눈부신 조명이 내 눈을 멀게 하면서, 시끄러운 경적 소리가 귀를 때리는 것만 같았다.

"혹시 사장님 어디 갔나요?"

그녀의 질문에 방금까지 고막을 치던 소음이 사라지며, 내 시야로 다시 그녀가 나타났다. 웃으며 질문하는 그녀의 얼굴을 경직된 채로 바라볼 수밖에 없었다. 내가 아무런 대답도 하지 않고 가만히 있자, 그녀는 천천히 미소를 거두어들이는 것처럼 보였다. 그 모습에 정신을 차리며 겨우 대답을 했다.

“아, 어.... 뭐 살게... 있으시다고... ”

날 유심히 바라보던 그녀는 대답을 얻자 다시 미소를 살짝 머금었다.

“어디 갔는지는 모르는거죠?”

“네...”

라고 하며 내 시선은 그녀의 얼굴을 피해 불룩 나온 배 쪽으로 향했다. 아주 자그마한 심장이 뛰고 있는 아이가 몸을 움츠리고 있는 모습이 뱃속으로 보이는 것 같았다. 사장님의 집사람이라고 하는 그 여자는 내 대답을 듣고는 카운터에서 조금 떨어져 남편에게 전화를 걸었다.

“어, 여보 어디야? 카페에 없네?”

그러면서 그를 이곳으로 부르는 것 같았다. 전화 내용을 대충 엿들어 보니 뭔가를 주려고 온 것 같았다. 그런데 사장이 카페에 없었던 것이다. 그가 어디 갔는지는 모른다. 집사람도 모르는데 내가 알 턱이 있을리 없었다. 그녀는 전화를 마치자 창가 쪽 자리에 앉았다. 사장을 기다릴 심산인가 보다.

머리가 살짝 어지러운 것 같았다.

어디서부터 잘못 된 걸까?

두 눈으로 내가 만들었던 카페라떼가 보였다. 카페라떼에 있던 하얀 하트는 뭉개져 있었다. 그 커피잔을 내 손으로 다시는 들어 올릴 수 없을 것만 같았다. 내가 할 수 있는 건 손님들이 반납한 커피잔들을 씻는 것뿐이었다. 나는 그렇게 아무런 말도 별다른 생각도 할 수 없이 그냥 일을 해야 했다. 내가 원래 해야하는 일 그것을 해야 했다.

잠시후 카페 문이 열리는 소리와 함께 그가 돌아왔다. 저기 앉아 있는 여자의 남편은 들어오자마자 나를 한번 보는 것 같았지만, 나는 그를 보지 않았다.

“여보, 무슨 일이야? 여기까지 힘들텐데”

둘 사이 어떤 눈빛과 어떤 표정으로 서로 대화를 나누는지는 모르겠다. 그저 내 두 눈으로는 하얗고 조금은 튼 내 손과 그 위로 끼얹어지는 투명한 수돗물 그리고 그 아래 설거지거리만 보일 뿐이었다. 내 귀는 주방 수도꼭지에서 나오는 세찬 물소리만 들을 뿐이었다.

잠시후 그녀가 갔는지 그가 내게로 천천히 다가왔다. 나는 묵묵히 설거지를 계속할 뿐이었다. 그는 자신의 손에 들려져 있던 상자 하나를 카운터 및 서랍에 쓱 밀어 넣는 것 같았다. 그리고 잠깐 어물쩍 거리는가 싶더니 내게 천천히 다가와 내 어깨에 손을 올렸다.

“그...”

난 설거지를 마침 끝내서 다른 일을 해야 했던 것처럼 그의 손을 뿌리치고 다른 쪽으로 몸을 피했다. 그러자 더 이상 내게 대화를 하려고 시도하지 않았다. 카페 안, 그리고 우리 둘 사이는 커피 머신 소리와 커피향만이 채워질 뿐이었다.

.

.

.

영업시간이 끝나고, 뒷정리를 마쳤다. 그리고 나는 사장인 그에게 가보겠다고 인사를 하고 문밖으로 나서려고 했다. 그때 그가 날 불렀다.

"다희야…"

아무런 말도 않고 그대로 멈춰 섰다. 하지만 뒤돌아보진 않았다.

"커피 한잔 마시고 가…"

까맣고… 따뜻한 향기… 내게 새로운 세상을 보여주었던…

"커피… 안 좋아해요."

그 말을 하고 도망치듯 카페를 벗어났다.

오늘따라 유난히 추운 것 같은 날씨다. 똑같은 길, 똑같은 시간… 모든게 똑같은데 왜 오늘따라 더 차갑게 느껴질까? 차가운 바람이 더 거세게 내 몸 깊숙이 침투하는 것 같았지만, 옷을 여미진 않았다. 그냥 그대로 그 바람을 받아들여야만 했다. 내가 할 수 있는 것은 아무것도 없었다. 그렇게 겨울바람을 맞으며 걷다 보니 어느새 집에 도착했다. 그리고 차갑게 식어버린 낡은 철문을 열고 집으로 들어갈 수밖에 없었다. 늘 그렇듯 그곳엔 작은아버지가 담배를 피우며 소파에 앉아 있었다. 쾌쾌한 담배 냄새와 다 늘어난 하얀 런닝에 찢어진 팬티를 입고 있는 그의 모습도 그대로였다.

"다녀왔습니다."

나는 신발을 벗고 불 꺼져있는 방으로 몸을 옮겼다.
그도 나를 따라 방으로 들어왔다.
그리고 방문은 굳게 닫혔다.

변한건 없었다.

내 세상은 달라지지 않았다.
새로운 세상으로 이동한 것도 아니었다.

잠시, 커피 향을 맡아서...
잠시, 커피를 한 모금 마셔서...
잠시, 테이블을 사이에 두고 그와 내가 두 손을 맞잡아서...

그래서... 그래서...

내가 잠시 잊었던 것일 뿐이었다.

그래, 착각이었다...

처음부터... 그리고 지금까지 계속 내 세상은 이것이었다.

77.

‘지다희’로서 여기서 아르바이트한지 2주쯤 된 것 같다. 오늘은 밤 늦게 마감하는 날이었다. 우리 카페는 일주일 중 손님이 가장 많은 날 이틀 정도는 마감을 늦게하는데 그게 오늘이었다. 마감을 마치고 집으로 가려고 인사를 건네려고 그에게 다가갔다.

“오늘은 내가 차로 데려다 줄께.”

그런 말을 한 것은 처음이었다. 일하면서 혹시나 사장이 ‘지다희’의 집을 알고 있을까, 어떻게 자연스럽게 물어볼까 기회만 노리고 있었는데, 그 기회가 알아서 찾아온 것이다.
나는 당연히 그의 제안을 받아들였고, 마감 후 그의 차를 타게 되었다. 해가 제법 많이 길어졌지만, 시간이 시간인지라 밖은 어두웠다. 나는 밤이 내려앉은 도시의 불빛들을 바라보며 그가 이따금 던지는 질문에 무미건조한 답을 해줄 뿐이었다.
내 관심은 그가 아니라, 여기서 살아가고 있는 또 다른 나였다.
그녀는 어떻게 살아가고 있을까? 이런 모습이라면 당연히 행복하게 살아가고 있지 않을까? 실제로 여기서 일한지 일주일밖에 되지 않았지만 벌써 3번 정도 번호를 따였다. 물론 다 거절했다. 외모가 전부는 아니지만, 확실히 외모가 좋으면 뭐든 좀 더 쉽다는 것을 체감하고 있었다. 남자 진상 손님도 웃으면 대부분 해결되었다. 그리고 대부분은 내게 친절했다. 지금 내 옆에 앉은 이놈도 내게 친절하다.

잠시후 오래된 아파트의 단지 내로 차는 들어갔다. 그리고 202동이라고 적힌 건물 앞에 차는 멈춰 섰다. 나는 사장님을 바라보았다.

“다 왔어.”

여기였다. 아파트는 언제 지어진지 모르겠지만 꽤 낡아 보였다. 페인트칠은 빛바래 있었고, 건물 여기저기에 금이 가 있었는데 곧 무너지는건 아닐란가 모르겠다. 아무래도 이 친구도 그렇게 부유한 삶을 살지는 않는가보다. 어찌됐던 여기라고 하니 난 여기서 내려야 했다.

“감사합니다.”

인사를 하고 내리려고 하자 그가 내 손을 붙잡았다.

"잠시만..."

나는 조금 놀라면서 그를 바라보았다. 하지만 사장님은 뭔가를 바라는듯한 눈빛으로 나를 바라보고 있었다. 무슨 상황인지 이해되지 않아 천천히 손을 빼려고 하는데, 그는 반대편 손으로 내 왼손을 꽉 잡았다. 그리고 천천히 그 손은 내 허벅지로 향했다.

"어느정도 기다려줬으니, 이 정도는 괜찮지 않아?"

그러면서 좀 더 노골적으로 내 왼쪽 허벅지 위를 쓰다듬기 시작했다. 늘상 있었던 일인 마냥 행동하는 그의 미소 속에는 내가 당연하게 받아들일 거라는 확신이 있어 보였다. 근데 그것에 정점을 찍은건 그의 한마디였다.

"청바지가 아니라 치마였으면 더 좋았잖아."

그 말은 내 목구멍에서 발사 준비를 끝마친 미사일을 궤도로 올려보내는 역할을 했다.

"야이 미친새끼야 이거 안 치워?!"

인상을 팍 찌푸리며 그의 손을 거세게 던져버렸다.

"뒤질라고 진짜, 내가 만만해?!"

밀폐된 차안에서 욕하며 소리치는 내 모습이 처음이었던 것일까, 그는 마치 뜨거운 주전자를 만진 것처럼 빠르게 두 손을 거두어 들었다.

"이 시발 한 번만 더 내 몸에 손대면 샌드위치 자르던 칼로 거기 잘라버릴거야"

입을 벌린 채 아무런 말도 못하고 벙쪄있는 그를 뒤로하고 난 차 문을 박차고 나왔다. 그리고 문을 쌔게 닫아버렸다.

"개새끼가.."

내 허벅지 위로 쓰다듬던 그 촉감이 마치 지네가 지나간 것처럼 느껴져서 기분이 나빴다. 이제야 또 다른 내가 도망친 이유를 알게 되었다. 어쩐지 계속해서 의도적으로 스킨십을 하는 것 같았는데, 그런 것 때문에 도망쳤나 보다.

"잘 도망쳤네."

그렇게 혼잣말을 하면서 그 차를 뒤로하고 난 그곳을 떠나 202동 출입문으로 향했다. 한동안 차가 떠나지 않는 것처럼 보였으나 신경 쓰지 않기로 했다. 내가 지금부터 해야 할 일은 하나였다. 또 다른 나, 그녀를 찾아가는 것이었다. 여기서부터는 어떻게 찾아가야 할지는 모르겠지만, 나는 천천히 내 발걸음을 옮겼다.

78

그날 이후 나는 더 이상 카페에 나가지 않았다. 하루하루 어두운 방 안에서 병에 걸린 망아지 마냥 쪼그려 앉아있을 뿐이었다. 그때, 전화가 울렸다. 어둠 속에서 핸드폰은 홀로 밝게 빛나고 있었다. 눈이 조금 부셔 눈을 찡그리고 화면을 보았다. 모르는 번호였기에 처음엔 무시했다. 혹시나 카페 사장님일까 봐서이기도 했다. 하지만 일정한 시간 텀을 두고 계속해서 전화가 울리자 궁금한 마음에 전화를 받았다.

나는 그 전화를 받자마자 대충 옷을 걸치고 밖으로 뛰쳐나갈 수밖에 없었다. 급히 택시를 잡고 기사님에게 빨리 병원으로 가달라고 부탁했다. 택시 기사님은 다급해 보이는 내 모습에 신호도 간간히 무시해가며 빠르게 도로를 가로질렀다. 택시가 병원에 도착하자마자 난 다시 뛰었다.

말도 안 돼... 그가 죽었다고?!

몇 번이나 걸레질했을지 모르는 바닥을 박차고 복도를 달렸다. 머리 위로 지나가는 하얀 조명이 물에 흩뿌려놓은 우유처럼 뿌옇게 번지는 것처럼 보였다. 주변 소음은 들리지 않고 오로지 나의 거친 숨소리만이 동굴 속에 울리는 것처럼 들리는 것 같았다.

내달려 도착한 그 끝엔 하얀 천으로 머리부터 발끝까지 덮여 있는 시신이 한 구가 놓여있었다. 천 때문에 얼굴을 볼 수 없었다. 하지만 그 시신이 내 작은아버지라고 했다.

그의 손이 하얀 천 밖으로 살짝 나와 있었다. 검고 거친 그 손을 보면 알 수 있다. 어젯밤에도 내 몸 구석구석을 탐닉하던 그의 손이 분명했다. 여기 아무런 미동도 없이 차갑게 식어 있는 이것은 분명 작은아버지였다.

난 아무런 말도, 감정의 표현도 없이 가만히 하얀 천이 덮인 시신을 지켜보기만 할 뿐이었다. 나를 시신이 있는 이곳까지 안내해 준 사람이 보기에는 조금 이상해 보일 것이다. 사실 나도 조금 이상하다. 당연히 슬프진 않을거라 생각했고, 그렇다면 기뻐해야 했을까? 모르겠다. 지금 내 기분은 슬픈 것도 기쁜 것도 아니다. 화가 나는가? 아니다. 전화를 받았을 때는 심장이 터질 것처럼 뛰었지만, 지금 시신을 바라보는 나는 그렇게 심장이 뛰고 있진 않다. 심장이 뛰었던 것도 어떤 감정이 불러 일으킨 결과인지 사실 모르겠다. 이 감정이 뭘까? 아직 그가 죽었다는 것이 실감이 나지 않아서일까?

나는 천천히 그의 얼굴에 덮인 하얀 천의 일부를 걷어 내보았다. 술과 담배에 쩔어 거무튀튀하고 푸석한 피부와 여전히 지저분하게 길러진 수염의 작은아버지 얼굴이 보였다. 나의 모든 것을 지배하던 두 눈은 굳게 닫혀있었다. 감긴 두 눈을 바라보고 있노라니, 지금 당장에라도 번뜩하고 눈을 떠서 일어날 것만 같았다. 그리고 평소와 같이 헐벗은 그 몸으로 내게 명령을 내릴 것만 같았다. 그런 생각이 드니 가슴 한구석이 이상했다. 두려운 건가? 아직도 그가 두려운 걸까? 이렇게 아무것도 할 수 없는 나무토막 같은 시체를 보면서도.. 난 아직 그에게 지배되어 있는 걸까?

"추락사입니다..."

내가 아무말 않고 가만히 시신을 바라보고 있으니, 가만히 옆에서 있던 사람이 내게 말을 해주었다.

"건설 현장에서 무거운 짐을 들고 오르다가 5층 높이에서 무게중심을 잃고, 머리부터 바닥으로 떨어졌습니다. 그러면서 목뼈가 심하게 꺾였고.... "

그의 말을 끝까지 듣지 않더라도 그 내용이 이해가 되었다.

이렇게 허망하게 죽을 줄 누가 알았을까? 죽은 이 사람은 알았을까? 하루에 몇 갑씩 펴대는 담배와 술 때문에 죽을 줄 알았던 사람이 뜬금없이 추락사라니... 신이 내게 주신 기회일까? 아니면 추악한 그에게 행해진 벌일까? 그것도 아니라면...

이후 나는 작은아버지의 장례식을 빠르게 치렀다. 3일장까지 할 이유가 없었기에 이틀 만에 장례식을 마무리 지었다. 장례식장엔 상주로서 홀로 앉아있었다. 그를 위해 찾아오는 사람은 건설 현장 관련 사람 몇뿐이었다. 그래서 장례식 동안 대부분의 시간은 홀로 앉아서 그의 곁에 있었다. 시신은 화장했고, 가루가 되어 내게 돌아온 작은아버지를 근처 강에다 모두 뿌려버렸다. 분가루가 바람에 날려 날아가지 않도록, 물에 가루를 태우듯이 천천히 흘렸다. 재가 된 그의 육신은 물속에서 담배 연기처럼 하늘거리며 너무나도 쉽게 스르륵 하고 사라져갔다. 내 모든 것을 지배하던 그 육신은 그렇게 허망하게 없어졌다.

작은아버지를 보내고 오랜만에 집으로 돌아왔다. 광고지가 덕지덕지 붙은 차갑고도 무거운 철문을 열고 들어가자, 어두운 집안에서 퀘퀘한 그의 담배 냄새가 내 코로 스며들었다. 그 냄새에 난 멈칫했다. 눈이 어둠에 천천히 적응하면서 거실 테이블 위에 쌓인 담배꽁초 산들이 눈에 들어왔다. 집 안으로 몸을 더 깊게 밀어 넣고, 문을 닫았다. 신발장 위의 자동 센서에 의해 불이 켜지자 집 안이 더욱 잘 보였다. 집은 달라진게 없었다. 빈 술병들과 널브러진 과자봉지들 그리고 며칠째 그냥 내버려둬 말라 비틀어진 배달 음식까지.. 내가 나올 때 모습 그대로였다. 난 바로 신발을 벗고 집안으로 들어가지 못했다. 아니 그러지 않았다. 그 자리에 서서 내 발아래 놓여진 그 사람의 발 냄새가 날 것 같은 낡은 신발을 내려다보았다. 주인을 잃어버린 더러운 신발은 오늘따라 처량해 보였다.

천천히 발을 옮기자 어두운 집은 나를 더욱 깊은 곳으로 이끌었다. 불도 켜지 않고 소파에 앉았다. 어둠에 적응한 눈과 창 밖에서 새어 들어오는 출처 모를 빛 때문에 어느 정도 사물들이 보였다. 테이블 위에 담배꽁초로 만들어진 산들 말고도 반쯤 남은 소주 한 병과 그가 피던 담배 한 갑 그리고 라이터가 보였다. 나는 소주병을 들어 갈증 때문에 물을 마시는 사람처럼 몇 모금을 들이켰다. 알코올 향이 내 목을 타고 넘어 오는 것을 느끼면서, 담뱃갑을 들어 안에 담배가 들었는지 확인했다. 3개비가 들어있었다. 그 중 하나를 꺼내 입에 물었다. 그리고 그가 했던 것처럼 한 손으로 바람이 닿지 않게 담배를 가리고 불을 붙이며 숨을 들이켰다. 담배에 불이 붙으며 뜨겁고도 매캐한 연기가 내 폐 속으로 들어왔다. 그 순간 나는 참을 수 없는 기침을 할 수밖에 없었다. 목구멍이 막히고, 눈물이 날 것 같았다. 하지만 나는 그렇게 기침을 하면서도 그 길쭉한 담배를 억지로 내 입에 물렸다. 담배가 타들어 가면서 너무나 익숙한 향기가 집을 가득 채우기 시작했다. 천천히 입에서 그것을 빼냈다. 그리고 그것을 한 손에 잡고 천천히 자리에서 일어나 천천히 그곳으로 몸을 옮겼다.

내 세상이 시작된 곳
이 세상 가장 어둡고
내가 있어야 하고
밤이면 날 찾아왔던
검은손이 마음껏 그림을 그리던 그 곳

나는 그 방으로 들어가며 그처럼 문을 굳게 잠갔다. 그리고 담배를 한 모금 빨아들이며 내 옷을 천천히 벗었다. 다시 연기를 내뿜으며 고개를 젖히고 무릎을 꿇고 앉았다. 내 시선은 방안에 피어오르는 뿌연 연기로 향했다. 그 사이로 그가 보이는 것 같다.

늘 그랬듯이 난 그를 맞이한다.

짙고 어두운 밤 속에서 빛나는 조명은 창문을 뚫고 들어와 이 공간에서 움직이는 하얀 속살에 비춰졌다. 거친 숨소리와 함께 피어오르는 담배 연기가 머리카락 구석구석에 스며들어 마치 손으로 내 머리를 거머 쥐는 것 같았다. 거칠게 움직일 때마다 담배재들이 바닥에 이따금 떨어지며 뜨거운 불꽃이 바닥에 튀었다. 눈을 감고 맞이했던 그의 진한 냄새와 검은 손길은 여전히 이곳에 있는 것만 같다. 흐르는 시간을 멈출 수 없듯이 이 어둠 속에서 내 몸짓은 멈출 수 없다. 짙은 빨간색의 핏물이 가슴 어딘가에 부딪혀 터지는 것처럼 내 깊숙한 그곳에서부터 뭔가가 폭발하는 것만 같았다. 뜨겁고도 끈적한 색깔이 뱃속 깊숙한곳에서부터 저 아래 세상의 끝까지 흘러내리고, 그것은 세상의 끝에 버려진 한 마리 하얀 새의 머리 위로 쏟아진다. 하얀 새가 이젠 주워담을 수 없는 찐한 핏물에 적셔진 채로 퍼덕인다.

어둠으로 가득하던 방안에 짙은 남색의 빛을 띠는 밤하늘의 색깔, 그것이 방안에 조금씩 채우기 시작하면서 퍼덕임은 절정에 이르렀다. 그에 대한 두려움 때문일까? 어둠 속에 은은히 묻혀진 남색에서 그 사람의 움직임이 보이는 것 같다. 아무런 저항도 하지 못하고 내 몸은 부르르 떨린다. 발작을 일으키는 환자처럼 두 눈은 그곳을 향하고 몸은 휘적휘적한다. 입에선 의지와 상관없는 저항의 비명이 막힌 목을 뚫고 나오듯이 새어나온다. 죽지 않고 이겨내려고 하는 사람처럼 끊기는 숨을 억지로 쉰다. 밤과 낮 그 사이, 난 시간과 공간의 경계 어디쯤에서 헤엄치고 있다. 더 깊고 어두운 바닷속으로 헤엄치듯 더 깊고 진한 고통과 쾌락의 틈 사이로 점점 더 빠르게 그리고 돌아올 수 없는 곳으로 항해하는 것처럼 빠져들었다.

머릿속이 하얘지고 밤새 방을 가득 채운 담배 연기처럼 온몸이 다 부서져 버린 공기가 된 것 같을 때, 창문을 뚫고 들어온 밝은 햇살이 내 눈을 통과해 머릿속으로 들어왔다. 깊은 바닷속을 헤엄치던 나를 건져 올린건 그 햇살이었다. 부르르 떨리던 몸은 사그라들고, 눈에 보였던 그도 연기처럼 사라졌다. 42.195km 완주를 방금 마친 마라토너처럼 거친 숨을 천천히 고르었다. 힘이 모두 빠진 채 바닥에 누워, 몸을 꿈틀거리기보다는 다시 눈을 감았다. 그리고 천천히 느려지는 내 심장 소 리와 호흡에 귀 기울이다 아무런 걱정과 고민이 없는 또 다른 세상 그곳으로 나는 잠시 떠났다.

얼마나 지났을까

아무런 옷도 걸치지 않고 바닥에 기절하다시피 있던 나를 깨운 건 요란하게 울리는 초인종 소리였다. 나는 천천히 몸을 일으켜 주변을 둘러보았다. 창문을 통해 들어오는 햇빛에 다 타버린 담배 꽁초와 흩뿌려진 재가 보였다. 차갑게 식어버린 그것을 바라보다 다시 울리는 초인종 소리에 고개를 돌렸다. 하지만 바로 몸을 움직이진 않았다. 나는 초인종 소리가 멎기를 바라며 앉아서 그저 문쪽을 바라보고 있었다.

잠시 초인종 소리가 멎는가 했더니, 또다시 울렸다. 마치 얼마 전 핸드폰이 계속 울렸던 것처럼 나를 찾는 것만 같았다.

귀찮았지만 무거운 몸을 일으켜 침대에 얹어져 있는 옷을 대충 입었다. 그리고 천천히 걸어나가 문을 살짝 열었다.

“누구세요?”

조금 열린 문틈으로 스며들어온 건 다름 아닌,

나였다.

79

나는 신이 있다고 믿지 않는다.

사고로 부모님을 잃고, 작은아버지와 함께 살게 되면서 어두운 방 안에서 혼자 생각하는 시간을 많이 가지게 되었다.

처음엔 부모님을 잃은 것에 대한 슬픔, 작은아버지 집에서 살아남는 방법 그리고 지속적인 학대가 시작되고 난 이후부터는 죽음에 대한 생각을 많이 했다. 하지만 그 생각은 좀 더 근본적이고 철학적인 사색으로 이어졌다. 나는 왜 태어났을까? 나란 존재는 무엇일까? 왜 나는 이런 고통을 겪어야 하는 것일까? 죽음은 무엇일까? 죽고 나면 어떻게 될까? 사후세계는 존재할까? 천국과 지옥은 존재할까? 신은 존재할까?

혼자 있는 시간이 많아지면 많아질수록 난 스스로 이런 질문에 대한 답을 하나하나씩 정리해나갈 수 있었다. 오로지 나 혼자만의 망상으로 답을 찾아간 것은 아니다. 나는 학교에 다녔고, 학교에서 국어, 수학, 과학, 미술, 음악 등 여러 분야를 배웠다. 그러한 것들은 나의 철학적 질문에 대한 해답을 만들어가는데 영향을 미쳤다. 그 중 가장 큰 영향을 미쳤던 분야는 과학이었다.

물리, 화학, 생물 등 과학 수업을 들으며 느낀 것은 세상은 과학의 법칙에 따라 움직인다는 것이었다. 특히, 나는 눈으로는 보이지 않는 작은 입자들에 대한 이야기를 들을 때, 내 생각에 대한 답을 확고히 찾아간 것 같다.

저 파란 하늘 위를 날아가는 비행기는 나와 다를까?

대부분의 사람은 그렇다고 할 것이다. 하지만 난 그렇게 생각하지 않는다. 저 비행기를 분해하면 날개, 엔진, 본체, 의자 등등 부품으로 나뉘고, 또 그것을 분해하면 고무, 철 등 소재로 그리고 또 그것을 분해하면 분자의 단위가 될 것이고, 거기서 더 분해하면 양자, 전자 등 입자로, 그것을 또 분해하면 쿼크까지... 결국, 내 몸을 무한히 분해하면 나오는 그것과 다르지 않다는 생각이 들었다.
즉, 최종적으로 완성된 형체가 비행기일지라도 그것을 이루고 있는 매우 작은 입자는 내 몸을 이루고 있는 것과 같다. 저 비행기를 무한히 분해하여, 분해한 입자들을 이용하면 나를 똑같이 만들어 낼 수도 있을 것이다.

이러한 생각을 바탕으로 내 눈에 보이는 세상의 모든 것을 분해해보았다. 그러면 특별한 뭔가가 있을까? 사실 없다. 그냥 어떤 건 비행기가 되었고, 어떤 건 새가 되었고, 어떤 건 내가 되었을 뿐이다.
나는 그저 수많은 입자가 뭉쳐진 덩어리에 불과하고 그건 세상에 있는 모든 것들도 그렇다. 이러한 생각에서부터, 신은 있을까? 라는 질문에 대한 해답을 스스로 찾기 위해 노력했다. 신이 있다면, 신도 입자로 이루어져 있을 것이고, 무한히 분해한다면 내 몸을 이루는 그 입자들과 같은 것일 것이다.

그럼 나를 무한히 분해하여 다시 조립하면 신이 된다는 생각이 들었다. 하지만 입자를 무한히 분해하고 다시 조립한다고 해서 종교나 우리가 일반적으로 말하는 그 전지전능한 신이 될 수 있을까? 나는 그 생각에 대해선 회의적이었다. 아무리 입자를 멋지게 재조합한다고 해도 이 세상의 모든 것을 알고, 모든 것을 해낼 수 있는 그런 존재가 될 수 있을 거라는 생각이 들지 않았기 때문이다. 만약, 그것이 가능하다고 한다면 신은 한 명이 아니게 된다. 똑같은 방법으로 재조합한다면 신을 무한히 만들 수 있기 때문이다. 이건 우리가 아는 단 하나의 초월적인 존재가 아니다. 초월적인 신이 여러 명이라면? 그렇다면 신은 서로 대화가 가능할까? 신은 전지전능하기 때문에 서로의 생각을 읽는 순간 또 그 생각을 읽고 그 순간 또 그 생각을 읽고 또 그 생각을 읽고.. 무한 반복일 것이다. 그건 아무런 의미 없는 반복 코드로 만들어진 프로그램이랑 다를 바가 없다.

그렇다면 신은 이 세상에 존재하는 입자가 아닌 초월적인 방법으로 존재한다면? 그런 생각이 머리를 스쳤다. 그 초월적인 방법이 뭔지는 모르지만, 정말 신이 존재한다면 그렇지 않을까? 그렇다면 그 초월적인 존재가 물질을 이루는 가장 작은 단위의 뭔가를 만들어냈고, 그것을 조합하여 세상의 모든 것을 만들고 세상 저 너머에서 우리를 지켜보고 있다?

그런 생각은 나를 너무 힘들게 만들었다. 만약, 그것이 맞다면 나를 왜 이렇게까지 비참하고 고통스럽게 만드느냐는 질문이 내게 던져졌다. 이 문제를 생각하면 신은 너무나도 잔인하고 사악한 악마로 보였고, 그런 사실 속에서 어둡고 깊은 긴 밤을 버티는 것은 내겐 너무 힘든 일이었다.

하지만, 신은 없고 우린 우주 속 가장 작은 단위의 입자 조합으로 만들어진 존재에 불가하다면, 물체와 내가 별반 다를게 없기 때문에 내가 이런 고통을 받는건 아무런 의미가 없다는 생각이 들었다. 길을 걷다가 아이가 깡통을 발로 차고 밟는다고 해서 깡통은 고통을 겪는 불행한 존재라고 생각할 수 없다. 나도 그런 것이다. 난 그냥 그런 깡통인 것이다. 고통이란 것은 내가 생각해서 만들어내는 것일 뿐 사실 깡통이나 나나 다를 바 없고, 누가 나를 발로 차든 밟든 그냥 그것은 특별한 일이 아니라는 것이다.

우린 우주를 돌아다니는 입자들이 어떤 물리 법칙에 따라 움직이듯이 그냥 그렇게 움직이고 있는 것일 뿐이다. 누군가 성공해서 부를 누리고 있는 것도, 한밤중에 아파서 끙끙 앓는 것도, 내가 매일 그를 위해 했던 행위도... 우린 우주 속에서 물리법칙에 따라 움직이는 입자들의 결과일 뿐이다. 그 속에는 고통도 아픔도 없다.

그냥 자연의 법칙만이 존재할 뿐이다.

이렇게 나름대로 합리적인 철학적 결론을 도출하고 난 후부터는 내 마음이 한결 편해졌다. 나는 특별한 존재가 아니고, 나에게 위해를 가하는 그도 특별한 존재가 아니다. 길거리에 치이는 깡통에는 삶이 없는 것처럼, 나도 사실 처음부터 삶이란게 존재하지 않는다는 것이다.

그 생각으로 버틴 것 같다. 그것이 날 버티게 한 내 세상이었던 것 같다. 나만의 확고한 철학적인 생각. 그런데 그것이 모두 부서졌다. 나와 똑같이 생긴 여성이 내 앞에 나타나, 내 앞에 앉아서 신이 있다고 말하고 있다.

가끔 이런 말을 하는 사람들이 집을 찾아오곤 했었다. 길거리에서도 종종 마주쳤었다. 본인이 공부하는 사람이라고, 물 한잔 얻어 마실 수 없느냐 또는 내 조상님을 운운하며 자신에게 커피를 한 잔 사줄 것을 권하던 사람들.. 그런 사람들의 말은 쉽게 무시할 수 있었다.

그런데 이 사람은.. 이 사람은 무시할 수 없다. 내 앞에서 신이 있고, 사후세계가 있다고 말하는 이 사람은.. 나랑 너무 똑같이 생겼기 때문이었다.

갑작스럽게 찾아온 손님에게 흔한 물 한잔도 권하지 못하고 멍하니 앉아 그녀의 무용담 같은 이야기를 듣고 있었다. 사후세계에서 신을 만났고, 그 신 때문에 지옥에 가서 고문도 당했다고 이야기했다. 그리고 이 세계는 법칙이 존재하는데 그 법칙에 의해 세상이 돌아간다고 한다. 솔직히 무슨 소린지 이해하기 어려웠다. 아니, 어려웠다기보단 거울에 비친 내 모습을 보고 있는 기분이어서 묘했고, 내 세상이 부정당하면서 지금까지 나를 보호했던 나만의 철학적 댐이 무너지고, 그 안에 고요히 담겨있던 방대한 양의 빗물이 쏟아져 내리고 있었다.

신이 있고, 사후세계가 있고, 나라는 존재는 내 앞에 놓여있는 찌그러진 빈 맥주캔과 다른 존재라면... 나는 지금까지 왜 이런 삶을 살게 된 걸까?

머릿속 이 공허 해진 것만 같았다. 가슴속 깊은 곳에서부터 뒷골을 댐의 바닥 아래 저 깊은 수심 아래로 당겨대는 것 같았다.

나의 표정 때문이었을까 그는 한참 떠들다 말을 멈췄다. 그리고 초점 없는 내 눈을 바라보는 것 같았다.

“저기..”

그 한마디에 깊은 저수지 속에서 가라앉고 있던 나는 건져졌다.

그리고 내 시선의 초점을 그녀에게로 옮겼다.

"물론... 못 믿으실 거란걸 알아요."

이 여자는 내가 자신의 말을 못 믿는다고 생각하는가보다. 하지만 아니다. 이 여자의 말을 100퍼센트 믿진 않지만, 느껴진다. 신이 있다는 것을..

"하지만.. 전 정말 당신이고.. 다른 세상에 살고 있었을 뿐이에요."

"알겠어요..."

그 말에 난 힘 없이 대답하며 고개를 창가 쪽으로 돌렸다. 기분 나쁠 정도로 깨끗한 파란 하늘로 비행기가 날아가고 있었다. 난 더 이상 말하지 않고 그곳만을 바라보았다.

그녀는 앞에서 어물쩍거리다 일이 있어서 잠시 어딜 가봐야 한다고 했다.

"저녁에 다시 올게요. 우리 할 얘기가 많을 것 같네요."

글쎄.. 저녁에 그녀가 오든 말든 상관없다. 난 모든 걸 잃은 거나 다름없기 때문이다. 그리고 사실 할 얘기는 너무 많다. 그게 그녀라서가 아니라 난 사실.. 늘.. 할 얘기가 너무 많았다.

오히려 너무 많아서 입 밖으로 내뱉지 못했을 뿐이다.

80

내가 앉아있는 이곳에서 저 너머 창가를 보면 제일 먼저 보이는 건 아파트에 얹어져 있는 파란 하늘이다. 그리고 그 아래로 시선을 옮기면 작은 놀이터가 보인다. 그 작은 놀이터에는 미끄럼틀과 시소, 그네 등 놀이기구가 있다. 어떤 아이는 시소를 타고, 어떤 아이는 그네를 타고, 또 어떤 아이들은 술래잡기하며 깔깔 웃으며 뛰어놀고 있다. 내가 있는 이곳과 놀이터는 꽤 거리가 될 텐데 아이들의 웃음소리와 말소리가 청명한 하늘만큼이나 내 귀에 잘 들린다. 쌀쌀한 날씨지만, 내 눈엔 따뜻해 보인다. 하늘 저 높은 곳에서 아이들을 위해 내려주는 것은 따뜻한 햇살이다. 모래를 밟으며 양분을 먹고, 햇살을 받으며 자라는 저 아이들은 누구보다 밝고 아름다운 인생을 살 것만 같았다. 하지만 이 집 베란다엔 그늘이 져 있었다. 바닥은 차갑고 딱딱한 콘크리트였다. 또한, 이곳에서 자란 아이는 햇살도 받지 못했다. 그 아이를 키운 것은 매캐한 담배 연기와 어둡고 칙칙한 조명이었다.

그게 부러워서일까, 아니면 내가 모든 것을 놓아버린 걸까
나는 아무런 미동도 없이 저 아이들을 바라보기만 했다.

얼마나 바라보고 있었을까, 겨울의 해는 저 너머로 빠르게 넘어가고 있었다. 파랗고 맑던 하늘은 조금씩 옅은 남색의 하늘로 변해갔다. 그러자 놀이터에서 놀던 아이들이 어둠을 피해 도망치듯 하나둘 그곳을 떠났다. 움직이던 시소와 흔들리던 그네가 멈췄다. 놀이터에 넘치던 에너지는 모두 사라져버렸다. 더 어두워지자, 놀이터엔 어둠을 밝히기 위한 조명이 켜졌다. 그 조명이 미묘하게 깜빡이는 것 같았다. 다시 내 시선은 차가운 하늘로 향했다. 어느새 진한 남색으로 뒤덮인 하늘을 보니 지금까지 가만히 있던 내 가슴속의 무언가가 스륵하고 풀리듯 움직이는 것 같았다. 그와 동시에 무거운 철문이 천천히 조심스럽게 열리는 소리가 들렸다. 하지만 그곳으로 시선을 옮기진 않았다.

난 모든 걸 받아들일 준비가 되었기 때문이다.

81.

다시 돌아왔을 때, 그녀의 집 문은 조금 열린 채로 있었다. 아마 내가 나갈 때 꼭 닫지 못하고 나갔나 보다. 조금 열린 문틈으로 새어 나오는 어둠을 잠시 바라보다 조심스럽게 차가운 문 손잡이를 잡았다. 이상하게 긴장됐다. 철문은 무겁게만 느껴졌다. 그래서 문을 천천히 열었다.

사람이 들어갈 정도로 넓어진 문틈으로 흘러나오는 것은 생기가 아니라 어두운 정적이었다. 난 조심스럽게 발을 옮겨 그 동굴로 들어갔다. 그리고 내 눈으로 보이는 건 창문 밖에서부터 들어오는 짙은 남색과 그 색 때문에 드리워진 검은 그림자가 삼킨 그녀였다. 어두워 잘 보이진 않았지만, 그녀는 내가 나갈 때 앉아있던 그 자리에서 단 한 발자국도 움직이지 않고, 고개만 창가 쪽으로 돌린 채 앉아있는 것 같았다.

현관으로 들어와 잠시 멈춰 섰다. 그러자 내 머리 위에 있던 조명이 센서에 의해 자동으로 켜졌다. 그리고 그 노란 빛 때문에 그녀의 모습이 보였다.

여전히 고개를 돌리지 않고 있어, 그녀의 긴 머리카락과 코끝, 하얀 볼 그리고 도톰한 입술이 살짝 보일 뿐이었다.

나는 신발을 벗고 집 안으로 들어섰다. 그리고 그녀가 앉아있는 곳으로 가까이 다가갔다. 하지만 그녀는 여전히 미동도 하지 않았다.

“저 왔어요.”

내 말에 그녀는 고개를 천천히 돌려 나를 바라보았다. 그녀의 표정엔 아무것도 없었다. 아무것도 없다. 그것이 가장 맞는 표현인 것 같다. 그 표정에 묘한 이질감마저 느껴졌다. 난 그녀 앞에 앉았다. 우린 아무 말도 하지 않고 마주했다. 똑같이 생긴 나를 바라보고 있으니 거울을 보고 있는 것만 같았다. 아무런 표정없이 나를 바라보는 그녀의 얼굴이 내 얼굴일까? 나도 지금 저런 표정을 짓고 있는 것일까?

우리 둘 사이의 정적을 깨고 입을 연 것은 놀랍게도 그녀였다.

“전 신이 없다고 생각했어요.”

잠시의 침묵 후 그녀는 말을 이었다.

“아니 그렇게 믿었죠....”

부연 설명을 더 듣지 않아도 무슨 말인지 알 것 같았다. 처음 이 집으로 들어왔을 때 나를 제일 처음 맞이한 건 그녀가 아닌 쾌쾌한 담배 냄새였다. 그리고 아름다운 그녀의 뒤로 잔뜩 어질러진 물건들과 청소되지 않은 바닥이 보였다. 그녀를 따라 집으로 들어가 테이블을 마주했을 때, 그리고 그녀가 움직일 때마다 몸을 가리고 있는 긴 블라우스가 날리면서 살짝 보였던 하얀 속살에 남은 흉터들... 초점을 잃은 퀭한 눈빛까지... 그녀의 인생이 쉽지 않았다는 것을 알 수 있었다.

내 앞에서 잠시 뭔가를 생각하던 그녀가 다시 입을 열었다.

"만약 신이 있다면, 신이 내게 바라는게 뭘까? 내가 어떻게 하길 바랄까? 그런 생각해 본 적 있어요?"

그런 생각을 했던 적이 있다. 신을 저주하며 분노했던 적이 있다. 하지만 대답은 하지 않았다.

"이 끝을 알 수 없는 어둠 속에서 앞도 볼 수 없이 살아가면서도, 가끔은 그런 생각이 들더라고요. 신이... 신이 만약 있다면... 그가 나에게 바라는 건 무엇일까... 정말 그런게 있을까? 난 그냥 이렇게 살기 위한 존재일까?.. 이 어둠은 영원히 나와 함께해야 하는 걸까? 그렇게 암흑 속에서 아무것도 못 하고 움츠리고 있었어요. 근데 어느 날 빛이 나타났어요. 아주 희미하게 깜빡이는 빛이요. 어둠만 가득했던 내 세상에 처음으로 빛이 나타났어요. 나는 그게 신이 내게 주는 구원의 손길이라 생각했어요. 오랫동안 힘들었던 내게 드디어 내려온 구원의 한 줄기 빛.. 그것이라 생각했어요. 그래서 손을 뻗어 그걸 잡았어요. 암흑을 밝혀줄.. 나를 구원해줄 빛이요. 근데.. 잡고 보니 그게.. 수명이 다 된 낡은 전구였어요. 깜빡...깜빡...깜빡...하며, 곧 죽을 것처럼 빛을 힘겹게 뿜는데 당장이라도 꺼질 것처럼 위험해 보였어요. 그래도 그게 제 인생의 첫 빛이라 너무 아름답고 소중해서... 두 손으로 조심히 잡았는데...그게 오히려 문제였던거 같아요. 빛을 몰랐던 제게, 그것은 잠시나마 또 다른 세상을 보여주는 그런 존재였어요. 그게 없었다면, 오히려 전 계속 어둠이라는 세상 속에서 그게 전부라고 생각하며 살아갔을 거에요. 근데 빛이 사라지니, 어둠이 더 칠흑 같아지는거 있죠? 이전의 어둠과 달라진 건 없었지만, 내겐 또 다른 어둠의 시작이었어요. 숨을 쉴 수가 없었어요. 살아갈 수 없었어요. 신이 있다면..그가 왜 나에게 이러는 걸까요? 구원을 해주지 못할망정 왜 나를 더 비참하고 가혹하게 만드는 걸까요? 그래서.... 이젠.. 이젠 정말... 그만하고 싶어요. 내겐....."

그녀는 잠시 아무 말 없이 바닥만 바라보았다. 뭔가 가슴속 자신의 감정을 표현할 단어를 찾고 있는 것처럼 보였다. 하지만 마땅한 그 단어를 찾지 못하는 것 같았다. 그래서 그 침묵은 더욱 무거워 보였다. 그리고 짧은 한숨과 힘겨운 신음과 함께 그녀의 입에서 나온 것은 아무런 소리 없는 비명이었다. 그녀는 두 손바닥으로 자신의 두 눈을 꾸욱 눌렀다.

창문을 통해 이 공간으로 들어오는 희미한 조명 불빛에 그녀의 눈물이 가녀린 손목을 타고 떨어지면서 잠시 반짝였다.

난 그녀와 나 사이에 놓인 더러운 테이블을 건너 그녀에게 다가갔다.

그녀에게 필요한 건 나였다.

그녀의 부드러운 볼에 손을 가져다 날 바라볼 수 있도록 고개를 들어 올렸다. 그리고 이마를 맞대고 함께 슬퍼했다. 함께 눈물을 흘려 주었다. 그녀의 감정을 조금이나마 공감하고 슬퍼해 줄 수 있는 존재는 나뿐일거라 생각했다. 아니, 나뿐이다. 똑같이 생긴 우린 그렇게 눈을 감고 함께 슬픔을 나누었다.

잠시 그렇게 함께 흐느끼던 나는 그녀를 위해 두 뺨을 감싸던 손을 천천히 목으로 내렸다. 그리고 천천히 내 손아귀에 힘을 주었다. 그녀의 입에선 뭔가에 막혀버린 신음이 짧게 새어나왔다. 나를 바라보는 그녀의 눈에서 쏟아지는 눈물은 내 두 손을 타고 팔을 따라 흘러 바닥으로 떨어졌다. 나는 그 눈물이 더 이상 새지 않도록, 더 꽉 쥐었다.

의식을 잃어가는 그녀의 손이 내 두 손에 얹어졌다. 하지만 그것은 내 손을 떼어내기 위한 몸부림이 아니었다. 오히려 그 손에선 따뜻한 감사함 마저 느껴졌다. 그건 내 기분 탓이 아니었다. 마지막으로 나를 바라보며 힘겹게 뻐끔거리는 그 입 모양을 알아보진 못했지만 나에게 던지는 저주는 아니었다.

내 두 손을 감싸던 그녀의 손에 힘이 빠졌다. 그것을 느낀 나는 손에서 힘을 천천히 뺐다. 그러자 그녀는 힘없이 바닥으로 풀석 쓰러졌다. 그 모습이 마치 아이가 가지고 놀다 지겨워져 바닥에 던져버린 인형 같았다. 잠시 그 인형을 바라보던 나는 빛이 희미하게 들어오는 창 쪽으로 천천히 고개를 돌렸다. 이 빛이 달빛인지 조명인지 모르겠다. 단지 그 너머에서 사이렌 소리가 희미하게 들려오는 것만 같았다. 왜인지 모르겠지만, 내 눈엔 계속해서 눈물이 흐르고 있었다. 멈출 줄 알았던 눈물은 그렇게 쉽게 멈추지 않았다.

82.

이후 모든 건 순조롭게 흘러갔다. 그녀가 살았던 집에서 살 수 있게 되면서, 남자친구의 집에서 나올 수 있게 되었다. 그의 원룸에서 함께 지내는 것도 좋았지만, 그러기엔 집이 좁았던 건 사실이고 더 이상 빈대처럼 빌붙어 있을 수도 없었다. 또한, 이 집을 그냥 내버려두기에도 아까웠다.

먼저, 담배 냄새와 찌든 때들로 가득했던 집을 깨끗하게 청소했다. 버릴 건 전부 버려버리고 너무 오래 막혀 있어서 잘 뚫리지 않는 하수구는 배관공을 불러서 뚫었다. 벽지는 그냥 새로 했다.

완벽히 새집처럼 만들고 싶었지만, 재정적인 한계 때문에 그렇게 하지는 못했다. 하지만 낡은 가구도 천천히 하나하나 바꿔나갈 것이다. 내가 누군지도 알게 되었고, 시급은 깎였지만, 여전히 카페에서 일도 하면서 이 세상의 일원으로 살아갈 수 있게 되었다. 그렇게 내 삶이 원활하게 잘 풀려가는 것처럼 보였다.

그런데 어느 날 검은색 양복을 입고 얼굴이 험궂게 생긴 사람이 집 주변을 어슬렁거리는 모습이 몇 번 보이더니, 결국 내 집에 이렇게 발을 들여놓았다. 내 집에 무단으로 들어온 이 사람들은 총 4명이었는데, 나를 소파에 앉히고 그 중 보스로 보이는 사람이 테이블 건너편에 의자를 가져와 앉았다.

남자의 얼굴은 모공이 잘 보이는 거친 피부에 미간엔 신경질적인 주름이 가득했다. 그리고 그의 거친 삶을 증명하듯 왼쪽 눈 아래에는 칼자국이 옅게 있었는데 이상하게 위협적이진 않았다. 그는 아무 말 없이 담배를 재킷 안에서 꺼내 입에 물었다. 그리고 담배에 불을 붙이고 담배 연기를 깊게 마시고 잠시 음미하듯 멈춰있다 내뱉었다. 본인의 수하 중 한 명이 냉장고에 있던 캔맥주를 가져와 보스 앞 테이블에 놔뒀다. 그러자 그는 담배를 손에 끼운 채 맥주캔을 따서 몇 모금 벌컥벌컥 마셨다.

“크...”

탄산에 목이 따가웠던 것일까, 인상을 잔뜩 찡그리고 자신이 마신 맥주캔을 잠시 바라보다가 나에게 시선을 돌렸다.

"맥주... 내가 참 좋아하는 거라"

나는 위협적으로 서 있는 덩치들 때문에 대답을 따로 하진 않았다. 그냥 내가 궁금한 건 이 사람들이 왜 내 집에 들어와서 이러고 있느냐였다.

"지호석이... 알제?"

보스로 보이는 그는 다시 담배를 입에 물고 담배 연기를 한껏 빨아들였다. 그러자 담배 끝 타버린 재가 바닥에 떨어졌다. 그 이름을 내가 모를 리가 없었다. 지호석은 죽은 작은아버지의 이름이었기 때문이다. 하지만 그의 질문에 나는 답변하지 않았다. 보스의 입에서 하얀 연기와 함께 본론이 새어나왔다.

"내한테 빚진게 있는데, 그걸 니가 갚아야겠다."

그렇다 작은아버지는 어디에 필요했던 돈인지는 모르지만, 사채를 끌어썼었던 것이다. 난 그 사실을 전혀 모르고 있었던 것이고, 그리고 내 앞의 이 사람은 어떻게 해서든 내게서 돈을 받아내려고 할 것이다.

남자의 품속에 접혀있던 하얀 종이가 테이블 위에 펼쳐졌다. 채무 이행 관련 종이었다. 그리고 거기에 적혀 있는 액수에 내 동공은 커졌다.

“아저씨 착한 사람 아니니까, 갚는게 좋을꺼요.”

종이에 있던 내 시선이 그의 날카로운 눈빛에 닿을 때 남자는 한 마디 더 했다.

“죽기 싫으면”

그리고 자리에서 일어나 자신들의 부하들과 함께 집을 나갔다. 그들이 떠난 거실에는 그가 남긴 진한 담배 향이 남았다. 집안에 가득했던 담배 냄새를 다 뺀 줄 알았는데, 여전히 그 냄새가 이곳에 남아있었다.

난 쇼파에 앉은 채로 잠시 창 밖을 바라봤다. 파란 하늘을 하얀색 구름이 휙 하고 그은 것처럼 떠있었다.

나는 살아야 했다.

당장 할 수 있는 것부터 해보기로 마음먹었다.

전세를 빼는 것은 무의미하다고 생각했다. 이것보다 더 저렴한 시세의 전세를 구하기도 힘들고, 애초에 금액도 많지 않았다. 오히려 월세를 구하면 그게 더 부담으로 다가올 거라 판단했다. 그래서 일단 파트타임이 아닌 제대로 된 일을 구하기로 했다. 중소기업 위주로 빨리 취업할 수 있는 일자리를 알아보며 여러 번의 면접을 봤다. 대부분은 경리직 또는 단순 사무직이었고, 나는 그 중 그나마 제일 높은 연봉을 불러주는 농업 용품 판매 업체에 취직하게 되었다.

하지만 월 200정도 되는 월급으로 이자와 원금을 갚기엔 무리였다. 일하며 번 돈의 대부분은 빚 갚는데 나갔다. 그리고 관리비를 내고 나면 남는 돈이 없었다. 급기야 끼니를 걱정해야 하는 수준에 이르렀다. 라면 두 개로 하루를 때우기도 하고, 밥과 참치캔 한통으로 식사를 때워 돈을 아끼기도 했다. 이렇게는 살 수 없었다. 다른 일을 하나 더 구해야 했다. 최저시급으로는 부족했다. 그래서 페이가 조금 있는 일을 구해야겠다는 생각이 들었다. 그렇게 내가 찾아간 곳은 Bar였다.

한번도 가본 적 없는 Bar를 후드티에 청바지를 입고 찾아갔다. 문을 열고 들어가자 화장이 진한 여자 사장이 나를 맞이했다. 그녀는 30대 중반 정도로 보였고, 검은색의 씨스루 옷을 입고 있었다. 그리고 그 옷 아래로 가슴골이 보였다.

“안녕하세요?”

라고 입으로는 인사하지만, 눈으로는 ‘무슨일이시죠?’라고 내게 묻고 있었다.

“아.. 그 아르바이트생 구한다고 해서...”

“아”

잠깐 멈칫하던 그녀의 시선은 나를 아래위로 훑어보다 얼굴에 꽂혔다. 그리고 나를 빈방으로 안내했다. 우린 테이블을 사이에 두고 자리에 앉았다.

그녀는 미소로 나를 바라보며 질문을 던졌다.

“바에서 일해본 적 있어요?”

빨간 립스틱이 칠해진 입술이 말하면서 움직일 때마다 묘하게 강렬하면서도 자극적인 느낌을 주었다.

“아니요.”

“그럼, 다른 일은 뭐 해봤어요?”

"카페에서 일해봤어요."

내 말에 그녀는 미소를 지으며 고개를 끄덕였다.

"와꾸도 괜찮고..."

그녀는 주머니에서 쇠로 만들어진 담배케이스를 꺼냈다. 그리고 담배를 꺼내 입에 물고 테이블 위에 있던 라이터로 불을 붙이고 담배를 한 모금 마시고 뱉었다.

"그런데 술은 좀 마셔요? 그래도 술은 좀 마실 수 있어야 일을 할 수 있거든요."

"적당히 마셔요."

"그래요, 다음 주부터 일 시작해요. 근데 그렇게 입고 올 건 아니죠?"

"네?"

담배연기를 내뱉듯 새침하게 던지는 그녀의 말투에 살짝 놀랐다. 내 놀람 따윈 신경 안 쓰는 것 같은 그녀는 아래위로 나를 훑어보며 말을 천천히 이어갔다.

“흐음~ 얼굴은 괜찮은데, 그래도 서비스직이니까 옷은 좀 예쁘게 입고 왔으면 좋겠었어요.”

그녀가 나를 위아래로 훑어본 것처럼 나도 그녀를 위아래로 훑어봤다. 짧은 치마에 가슴골이 비치는 옷을 입고 있었다. 이렇게까지 입어야 하는가 싶으면서도, 한편으로 내가 지금 입은 옷이 더 예뻐 보이기도 했다.

“그런데... 전 그런 옷이 없어요.”

그러자 그녀가 들고 있던 담배를 재떨이에 털면서 말했다.

“그럴 것 같아요. 체형이 비슷해 보이니, 출근하면 내가 주는 옷으로 입고, 갈 때 갈아입고 가요.”

그렇게 시작하게 된 Bar는 내가 생각한 것보다 깔끔한 일이었다. 단지, 모르는 남자와 대화를 나누며 술을 마신다는 것과 그리고 이왕이면 그런 남자들이 좋아할 법한 옷을 입어야 한다는 것이 조금 그럴 뿐이었다. 내가 상상했던 문란한 일은 일어나지 않았다. 물론 종종 만취한 손님들이 내게 스킨십을 시도하려 할 때가 있었다. 그럴 때면 사장님이 나서서 제지해주었다. 경찰을 부르는 일까진 일어나지 않았다.

내가 하는 일은 단순했다. 손님과 함께 술을 마시며 대화를 나누는 것이었는데, 대부분은 상대 이야기를 들어주는 것이 전부였다. 평일엔 회사를 마치고 찾아오는 40대 이상의 남성이 많았고, 주말엔 3차로 찾아오는 젊은 남자들이 많았다. 40대 이상의 남성들은 외로움과 생활의 어려움 등을 내게 이야기했다. 난 그런 이야기를 그저 들어주고 위로해주는 것이 전부였다. 그보다 어린 친구들은 마치 우연히 술집에서 합석한 사람처럼 대화를 나눴다. 그러다 내 번호를 묻는 사람들도 있었는데 그건 다 거절했다. 모르는 남자에게 번호까지 주는 건 남자친구에게 미안했기 때문이다. 어찌 됐던, 나를 보려고 찾아오는 단골은 점점 많아졌다. 손님들로부터 인기가 있다 보니 언젠가부터는 날 만나기 위해선 예약까지 해야 했다. 이에 따라, 사장님은 내게 더 많은 인센티브를 챙겨주었고 어느 정도 생활에 필요한 자금이 충족됐다. 하지만 그 금액이 충분한 것은 아니었다. 충분하기에는 사채 고리는 지독했다.

그들은 수금 날짜에는 칼같이 찾아와 집 앞에서 담배를 피우며 날 기다리고 있었다. 그럼 난 그들에게 현찰로 돈을 지불했다. 그러고 나면 내 손에 가득 쥐어져 있던 돈은 몇 장 남지 않게 되었다. 그때의 미묘하게 아쉬운 감정을 뭐라고 설명해야 될지 모르겠다. 잠시의 감정이라고 느끼기에는 예쁜 옷이나 물건이 눈앞에 나타났을 때 그 감정이 스멀스멀 기어올라 나를 괴롭혔다. 가끔은 화가 나기도 했다. 작은아버지는 도대체 어디에 돈을 다 써버린 것일까? 왜 그런 빚이 있으면서도 한마디 말도 없이 죽어버린 건데, 내가 왜 그 돈을 갚아야 하는거지? 모든게 화났지만, 내가 할 수 있는 것과 사랑하는 남자를 만나기 위해서 해야 하는 것은 이 방법뿐이었다.

그렇게 아낀 돈은 넉넉지는 않았지만 남자친구와 데이트할 때 사용했다. 화장품을 사는 것은 어느 정도 가능했지만, 따로 쇼핑을 즐기기엔 버거웠다. 남자친구를 만날 때마다 후줄근한 모습으로 가게 되는 것 같아 마음이 불편하면서도 부끄러웠다. 데이트할 때는 돈을 아끼기 위해 값이 싼 메뉴를 먹으려 하거나, 산책하는 시간을 늘렸다. 아니면 카페에서 하루종일 같이 앉아서 떠드는 것으로 데이트를 메꾸었다. 그럼에도 그는 내 모습을 수수하다고 오히려 좋아해 주며 카페에서 나를 꼬옥 안아주었다. 그의 품은 따뜻하고 좋았다. 이 세상에서 내가 기댈 수 있는 존재는 이 남자뿐이었다. 그와 손만 잡을 수 있다면, 함께 할 수 있다면, 내가 할 수 없는 일 따윈 없을 것 같았다. 난 버텨야 했다. 그리고 어떻게든 살아남아야 했다. 그러면 언젠가 우리에겐 빛나는 미래가 다가올 거라 믿었다.

어느날부터 이렇게 변한 나의 모습을 보며 남자친구도 분명 뭔가 이상함을 눈치챘을 것이다. 하지만 그는 내게 무슨 일이냐고 묻지 않았다. 그저 본인이 해줄 수 있는 것을 해주었다. 내 옆에 있어주고, 손잡아주고, 그리고 얼마 되지 않는 용돈을 모으고 모아 내게 맛있는 걸 사주겠다며 손잡고 레스토랑으로 데려가 내가 좋아하는 크림파스타를 사주곤 했다. 힘든 하루가 계속되다가도 오랜만에 먹고 싶었던 크림파스타를 함께 먹으면 기분이 좋아졌다. 하지만 그러면서도 미안했다. 남자친구도 학생이고, 나보다 돈이 많을리가 없었다. 대학 교재를 사고 대학생활에 필요한 이런저런 돈을 쓰다 보면 돈이 많이 남지 않을 텐데, 아껴서 나를 위해 써주는 것이 고마웠다. 하지만 역시나 남자친구도 돈이 부족했던 것이다. 그는 따로 아르바이트를 구해서 밤마다 일하러 갔다. 평일 밤엔 일하고 아침엔 일찍 학교에 갔다. 그리고 주말엔 나를 만나 돈을 썼다. 그가 일하는 이유가 나 때문인 것 같아 마음이 쓰렸다. 그래서일까, 내 마음 한구석에선 돈에 대한 욕구가 점점 자라고 있었던 것 같다.

그러던 어느 날 늘 찾아오던 40대 중반의 성공한 스타트업 사장이 내게 스폰을 제안했다. 그 손님은 2주에 한두 번씩 찾아와 비싼 양주를 주문해서 나와 함께 룸에서 술을 마시던 사람이었다. 늘 세미 정장스타일 차림으로 가게에 와서는 재킷은 벗어두고 셔츠를 걷어 올리고 술을 마셨다. 젠틀하고 매너있었다. 스킨십을 시도하려 하지도 않았고, 본인이 먼저 빈 잔을 채웠다. 적당한 유머와 위트도 가지고 있는 사람 같았다. 그래서 좋은 사람이구나 생각했고, 그와 함께 술자리 하는 건 나름 괜찮은 시간이었다. 그렇게 몇 번이나 나를 찾아온 그가, 그날은 내게 2차를 제안했다. 처음엔 술에 취해 장난으로 하는 말이라고 생각했다. 하지만 그의 눈은 진지하고 확신에 차있었다. 오늘 일 마치면 본인과 함께 밤을 보내자고 했다. 물론, 난 거절했다. 그런 여자가 되고 싶지 않았다. 그러자 그가 지갑에서 수표 한 장을 꺼내 테이블 위에 올려두었다.

100만원이었다.

100만원의 수표를 보는 순간 내 마음은 잠깐 흔들렸다. 하룻밤이면 저 돈을 내가 가질 수 있었다. 아마 달콤할 것이다. 더 여유롭게 지낼 수 있을 것이다. 필요했던 물건도, 가지고 싶었던 옷도, 무엇보다도 남자친구와 더 풍요로운 데이트를 즐길 수도 있을 것이다. 어쩌면 남자친구가 더 이상 아르바이트를 안 해도 될 수도 있었다.

하지만 아무 말 없이 그 수표를 보던 난 마음을 다잡고 테이블에 놓인 샷을 들이키고는 그의 제안을 거절했다. 식도가 뜨겁게 불타오르는 것 같았다. 그 불의 열기를 날리기 위해 공기를 깊게 들이켰다. 그리고 천천히 숨을 내뱉으며 입술을 깨물었다. 그러자 이제는 뱃속이 뜨거웠다.

그는 옅은 미소를 띠며 알겠다고 하며 수표를 가져가 자신의 지갑으로 도로 넣었다. 그리고는 자신도 테이블 앞에 놓은 샷을 쭈욱 들이켰다. 하지만 빈 잔을 다시 채우지는 않았다.

내 눈은 여전히 수표가 놓여있었던 테이블의 그곳을 떠나지 못하고 있었다.

잠시후 그가 이번엔 수표 두 장을 내려놓았다.

200만원이었다.

나는 수표가 아닌 그의 두 눈을 바라보았다. 그가 빈 잔을 들어 내게 잔을 내민다. 잠시 잔을 바라보던 나는 양주병을 들어 그의 잔을 채워줬다.

우리의 관계는 그렇게 시작됐다.

83.

이후 내 삶은 편해졌다. 최소한 경제적으로는.
그는 내게 매달 500만 원의 돈과 따로 신용카드 한 장을 줬다. 경제적으로 여유로워지자 회사 일은 그만뒀다. 시간은 많아졌고, 빚은 좀 더 빨리 갚아나갈 수 있을 것 같았다.

남자친구와의 데이트를 할 때 나는 다시 예쁘게 꾸미고 나갈 수 있었다. 구두와 치마 그리고 예쁜 블라우스를 입고 가방도 들고 갈 수 있었다. 이제 우리 데이트는 카페에서 하루종일 시간 때우는 것이 아니라, 영화관도 가고, 놀이공원도 가고, 가끔은 비싼 레스토랑도 갈 수 있었다. 남자친구를 위해 가는 곳 마다 내가 더 많이 돈을 지불했다. 비싼 레스토랑에선 남자에게서 받은 신용카드로 계산하기도 했다. 아마 남자친구는 이런 내 모습이 의아했던 모양이다. 내가 갑자기 가난해졌을 때도 아무런 질문하지 않던 그가 내게 물었다.

"복권 같은 거라도 된 거야?"

그 순간 내 머릿속을 스쳐 지나간 건 며칠 전 스폰 남과의 잠자리였다.

스폰해주는 남자와는 한 달에 두 번씩 의무적으로 만나 시간을 보내야 했다. 하지만 강압적이진 않았다. 내가 일이 있어 안되는 날이면 그는 언제나 다음으로 미룰 수 있도록 해주었다. 남자와 만나는 날은 대부분 저녁 식사부터 시작해서 다음 날 아침까지 이어졌다. 그를 만나는 날에는 남자친구에게 피곤하다면서 일찍 잔다는 인사만을 남기고 핸드폰을 가방에 넣어버렸다. 아마 남자친구는 내가 잠든 줄 알 것이다. 다음 날 아침까지 내 연락이 오길 기다리는 그에겐 꽤 긴 밤이었을 것이다.

"아니, 나 진급하면서 월급이 올랐어."

남자친구의 두 눈을 바라보며 말하니, 괜히 가슴이 두근두근했다. 이건 그가 좋아서 뛰는 것과는 달랐다. 나의 대답에 가만히 바라보기만 하는 그를 보고 있으니, 긴장감이 내 눈에 담겨있는 것만 같은 느낌이 들었다. 그렇게 잠시 멈춰있던 그가 입꼬리를 살짝 올렸다.

"그래? 축하해, 왜 말 안 했어?"

"뭐하러, 중요한 것도 아닌데"

그러면서 나는 남자친구의 두 손을 꼬옥 잡았다.

"나한테는 자기가 제일 중요해, 알지?"

진심이었다. 내가 몰래 Bar에서 일하는 것도, 아무도 모르게 스폰을 받는 것도, 그와 함께 이 세상에서 살아가기 위해 발버둥치는 것이다. 조금만 더 버티면 됐다. 몇 년만 몰래 버티면, 빚을 다 갚고 이 생활도 모두 정리할 것이다. 그리고 완전히 그와 함께할 것이다. 제발 그때까지만 아무 일 없길 바랬다.

하지만 그건 내 욕심이었나 보다.

내가 Bar에서 일하는 날, 스폰남이 손님으로 그곳을 찾아왔다. 나를 Bar에서 만나기 위해서는 예약을 따로 해야 했지만, 그는 그렇게 하지 않았다. 그 이유는 애초에 나와 마시려고 온 것이 아니었기 때문이다. 하지만 잠시만 자기 방에 와서 얼굴만 보고 가라고 했다. 그래서 잠시 손님에게 양해를 구하고, 있던 방에서 나와 남자가 있는 방으로 인사차 들어갔다.

방에는 단정한 정장차림에 네이비 색의 푸른 넥타이까지 맨 젊은 남자와 스폰남이 마주 보고 앉아있었다. 그리고 과일 안주와 양주가 테이블에 올려져 있었다.

"안녕하세요"

나는 그들에게 인사를 건넸다. 둘은 하던 대화를 멈추고, 나를 바라봤다.

"음, 어서 와"

나를 미소로 맞이해주는 스폰남과 나를 향해 고개를 돌린 젊은 남자의 얼굴을 정확하게 볼 수 있었다. 그는...

"여기는 이 Bar의 에이스, 그리고 여기 앉아있는 청년은 우리 회사 실습생"

실습생이라고 내게 소개해준 남자는 고등학교 시절 수능을 마치고 내게 고백했던 그 친구였다. 우리는 서로를 단 한 번에 알아보았다. 떨리는 눈으로 내게 좋다며 말하던 남학생의 모습이 겹쳐졌다.

그때와는 다른 옷을 입고, 단정하게 머리를 올렸지만, 그 임을 알 수 있었고, 그도 내가 야시시한 옷과 진한 화장을 하고 있음에도 자신이 짝사랑했던 발랑까지지 않고 수수했던 그 여학생임을 알아챘다.

그의 흔들리는 두 동공이 그 사실을 내게 말해주고 있었다.

"어때? 예쁘지?"

스폰남은 웃으면서 나를 소개했다. 그러면서 과감히 내 손목을 잡고 자신의 옆자리에 앉혔다. 난 어쩔 수 없이 그의 옆자리에 앉았다. 이제는 정면으로 젊은 남자의 얼굴을 마주 볼 수 있었다. 우리는 어색하게 눈이 마주쳤다.

"이 아가씨 만나기 힘들어, 원래 예약해야 되는데 나라서 이렇게 잠시 여기 앉아있는 거야."
"아, 그렇습니까?"

그의 말에 청년은 멋쩍은 웃음을 지으며 대꾸했다. 나도 청년의 눈치를 살피며 멋쩍은 웃음을 지었다.

“저는 가봐야 될 거 같아요. 두 분 말씀마저 나누세요.”

“어, 그래. 고마워. 나중에 봐”

그렇게 난 인사를 하고 황급히 자리를 떴다. 술을 마셔서일까, 얼굴이 뜨겁게 붉어진 느낌이었다. 심장이 두근두근하고 뛰었다. 잠시 진정해야 할 것 같아서 화장실로 갔다. 그리고 화장실에 있던 거울로 내 얼굴을 봤다. 진한 화장과 하얀 속살이 비치는 옷을 입고 있는 내 모습이 거울로 비쳤다.

그가 날 어떻게 생각할까?

나를 발랑까진 여자아이들과는 다른 아이라고 생각하며, 그런 모습이 좋아 나에게 고백까지 했던 친구였다. 그리고 난 그런 모습으로 기억되길 바랐다. 그렇기 때문에 그를 멀리했다. 그런데 이런 곳에서 이런 모습으로 있는 나를 보며 어떤 생각을 했을까?

그가 어떤 생각을 했는지는 몇 시간 지나지 않아 알게 되었다. 일을 마치고 마감정리를 대충 한 뒤 가게 문을 닫고 건물 지하에서 올라왔을 때, 길에서 나를 기다리고 있는 그가 보였다. 새벽 3시가 넘은 시간의 길은 조용했고, 건물 앞의 가로등만이 우리를 비춰주고 있었다.

"오랜만이야"

그의 무겁고도 술에 취해 살짝 기어들어 가는 목소리가 먼저 허공을 갈랐다.

"응.."

난 괜히 그렇게 짧지도 않은 치마를 추슬렀다. 그러면서 그의 얼굴을 보았다. 술에 취해서인지 단정했던 넥타이가 조금 풀어져 있었다.

잠시 아무런 말 없이 쌀짝 풀린 눈으로 나를 바라보기만 하던 그가 입을 열었다.

"거기서 뭐 해"

이 질문에 대해 내가 뭐라고 대답해야 될지 알 수 없었다. 그래서 그냥 아무런 대답을 하지 않았다. 그러자 그가 계속해서 말을 이어갔다.

"너무 화가 나.."

하지만 그의 눈에는 분노가 아닌 눈물이 살짝 맺혀있었다. 그는 뭔가 이해할 수 없다는 듯이 고개를 몇 번 흔들면서 고개를 숙였다. 그리고 열리지 않는 입을 억지로 열 듯이 힘을 주어 말을 이어갔다.

"정말.. 최 대표랑 그렇고 그런 사이야?"

최 대표는 나의 스폰남을 말하는 것이었다. 그렇고 그런 사이라는 것이 연인 관계를 말하는건지, 스폰 관계를 말하는건지 정확히 알 수 없었다. 연인 관계여도 나이 차이를 보면 이해할 수 없을 것이고, 스폰 관계라면 더욱 이해할 수 없을 것이다. 그런데 최 대표가 회사 실습생에게 내가 자신의 스폰녀라고 자랑했을 것이라는 생각은 들지 않았다. 내가 본 그의 모습은 그래도 매너있고 품위있는 사람이었다. 이런 이야기를 자랑이랍시고 함부로 떠들고 다니진 않을 것 같았다. 그래서 최 대표의 스폰 제안을 받아들인 것도 있다. 하지만 내 앞에서 힘들어하는 이 남자의 입에서 나온 말은 내 예상을 완전히 빗나가게 했다.

"그 새끼.. 쓰레기야.. 내가 오늘 여기 왜 오게 된건 줄 알아? 너 구경시켜준다고 여기 데리고 온 거야"

그가 숙이고 있던 고개를 들어 올리자, 두 눈동자에 맺혀있던 눈물이 한 방울 떨어졌다.

“나한테 돈 많이 벌면 예쁜 여자랑도 쉽게 잘 수 있다고 하면서 오늘 보여준다고 데려온 거라고... 그런 쓰레기 새끼가 보여준 여자가 너면, 고등학교 시절 내내 했던 내 짝사랑은 뭐가 되냐..”

그 말을 듣는 순간 가늘고도 긴 실이 내 머릿속의 정중앙을 관통하듯 지나가면서 고등학교 시절 나를 은근히 챙겨주던 그의 모습들이 떠올랐다.

쉬는 시간 혼자 앉아있던 내게 가끔 와서 실없는 말을 하며 대화를 걸기도 하고, 내가 교재를 깜빡하고 안 가져왔을 땐 그가 대신 자신의 교재를 주고는 본인은 선생님께 얼차려를 받기도 했다. 추운 겨울이면 아침 일찍 내 책상에 따뜻한 두유와 핫팩을 두고 가기도 했다. 난 우연히 그 모습을 본적이 있었다. 나를 챙겨주는 모습에서 마음을 어느 정도 알고 있었지만, 그가 내게 고백할 거라는 생각은 하지 않았다. 하지만 결국 내게 자신의 마음을 고백했고 나는 거절했었다.

“물론 넌 거절했지만, 난 진심이었고 네가 내 첫사랑이란 말이야... 난 도대체 뭘 한 거야...시발...”

어떤 대답도 이 친구에게 해줄 수 없었다. 밤 공기가 우리 사이를 가르듯이 스쳐 지나갈 뿐이었다. 내가 일하는 동안 비가 잠깐 왔었는지 바닥은 축축하고 공기는 습했다. 전봇대 옆으로 널브러진 쓰레기 더미들이 발로 차여진 것처럼 뒹굴어져 있었다. 묘한 공기가 우리 사이에 흐를 때 그는 뭔가 다짐한 것처럼 고개를 들고는 거친 발걸음으로 내게 다가왔다. 화난 것만 같은 남자의 구둣소리에 나도 모르게 뒤로 주춤했다. 하지만 어느새 내 바로 앞까지 다가온 그는 두 손으로 내 어깨를 꽉 쥐어 잡았다. 그 힘에 나의 몸이 힘없이 흔들렸다.

"너 같은 년, 돈이면 다 되는 거면 나도 줄게"

그러면서 내 입을 틀어막고 건물로 나를 밀어 넣었다. 나는 미처 저항하지 못하고 그에게 이끌려 어두운 건물 안으로 끌려갔다. 내 입을 틀어막고 완력으로 나를 지하로 밀어붙이려고 했다. 난 벽으로 몸을 억지로 붙이며 그를 밀어내려고 노력했다. 하지만 여자의 몸으로 남자의 힘을 이겨 내긴 힘들었다. 그의 손이 내 입을 떠나 나를 밀어붙이려 할 때 난 소리 지르며 저항했다.

"그만해!"

하지만 그 외침은 어두운 건물 복도에서 울릴 뿐이었다. 그는 강제로 자신의 입술을 내 입술에 밀착시키며 나를 덮쳤다. 난 고개를 피하려 했지만, 그에게 붙잡혀 그렇게 하지 못했다. 내 윗옷을 찢으려는 손이 거칠게 내 가슴팍을 파고들었다. 난 저항하려고 온몸을 움직이며 발을 움직이는 순간 계단 허공에 발을 헛딛였고 우린 중심을 잡지 못하고 함께 어두운 지하로 굴러떨어졌다.

84.

내가 눈을 떴을 때 보인 건 하얀 천장이었다. 처음엔 내가 죽었는가 했는데, 주변으로 들리는 소란스러운 소리와 천장에 있는 조명 그리고 링거가 눈으로 들어오자 내가 누워있는 곳이 병원임을 알게 되었다. 일어나려고 머리를 들려는 순간 두통이 나를 멈추게 했다. 얼굴을 찡그리며 나도 모르게 '아'라는 소리가 입에서 나왔다. 그러자 옆에 있던 간호사가 내 쪽으로 시선을 돌렸다.

"환자분 괜찮으세요?"

이어서 그녀는 내게 잠시 누워있으라고 한 뒤 의사를 부르러 뛰어갔다. 난 천천히 몸을 일으켰다. 잠시후 의사가 내게 와서 이런 저런 몸 상태를 체크했다. 그리고 체크 하는 의사 뒤로 경찰과 남자친구가 보였다. 의사의 진찰 이후 경찰과 남자친구는 내게 다가왔다.

“지다희씨, 괜찮으세요?”

“괜찮아?”

그들은 내게 괜찮냐고 물어봤다. 왜 경찰이 여기 있고, 어떻게 남자친구가 이곳에 있는지 바로 정리되지 않았다. 경찰은 내게 자신들의 소속을 밝힌 뒤 조사해야 할 것들이 조금 있다고 이야기했다.

“금일 새벽 3시경 신고가 들어왔습니다. 여성분의 비명을 들었다는 신고였어요. 경찰이 출동했고, 현장에서 계단에서 굴러떨어진 두 분을 발견했습니다. 두 분 다 머리를 크게 부딪혔는지 정신을 잃은 상태였고, 곧바로 119로 신고하여 이렇게 응급실에 있게 된 겁니다.”

경찰의 말을 듣자, 새벽의 일이 생각났다. 그리고 벽에 걸려있던 시계를 보았다.

아침 9시였다.

난 약 5시간 정도 기절해 있었던 것이다. 나는 남자친구의 표정을 한번 살폈다. 나를 걱정하는 것처럼 보였으나, 뭔가 기분이 좋지 않음을 알 수 있었다.

“어제 어떻게 되신 건가요?”

어제 난 강제로 추행을 당했다. 아마 계단으로 굴러떨어지지 않았다면, 추행으로 끝나지 않았을 것이다. 문제는 여기서 내가 뭐라고 대답을 해야 할지 모르겠다는 것이었다. 남자친구가 옆에서 다 듣고 있으니 말이다. 심지어 그는 의아할 것이다. 내가 왜 그 시간에 낯선 남자와 거기서 계단으로 굴러떨어졌는지...

“머리가 아직 좀 아파서...”

난 머리를 거머쥐며 아픈척했다. 실제로 아프기도 했다. 그러자 경찰은 질문을 멈추고 한걸음 물러섰다.

“그럼 오늘은 두 분 깨신거 확인했으니, 나중에 따로 경찰에 출석해서 조사받으시기 바랍니다.”

그러고는 그들은 가볍게 고개 숙여 인사를 하고는 자리를 떠났다. 경찰이 자리를 떠나자, 새로운 취조를 시작할 심산으로 남자친구가 의자를 가져와 내 침대 옆에 앉았다.
“머리는 괜찮아? 다른데 아픈 곳은 없고?”

그는 우선 내 상태를 걱정해주었다. 빈말은 아닐 것이다. 아마 내가 어디 다른데 다친 곳은 없는지 걱정됐을 것이다. 그런 남자였다. 내가 이 세상에서 아는 남자 중 유일하게 내 몸이 아니라, 나라는 사람을 사랑해주는 남자였다.

"응, 괜찮아.."

잠시 나를 바라보는 그의 눈빛에서 머뭇거림과 함께 어떤 사실을 알고 있음이 느껴졌다. 그래서 나는 그의 다음 질문을 읽었다. 그의 말을 가로 막고 싶었다.

"나 쉬고 싶어."

그러면서 애써 눈을 피하기 위해 시선을 돌렸다. 그러자 남자친구는 뭔가 말을 하려다 멈추고 천천히 자리에서 일어났다.

"알겠어, 나중에 얘기하자."

그렇게 돌아서는 그의 뒷모습이 너무나 무겁게 느껴졌다. 무거운 발걸음으로 내게서 떠나는 그의 모습은 다시는 내게 열리지 않을 것 같은 철문 같았다.
이후 나는 퇴원하고 경찰 조사를 받았다.

나는 경찰서에서 그의 성폭행 미수에 대해 이야기하지 않았다. 둘이서 대화를 하다 내가 발을 헛딛였고, 나를 잡으려는 그 남자도 함께 굴러떨어지게 됐다고 주장했다. 나의 일관된 주장 덕분에 그 친구는 경찰 조사에서 쉽게 빠져나올 수 있었다. 그리고 이후 그 친구의 소식은 모른다. 왜냐하면, 그날 이후 최 대표와의 관계도 Bar 일도 모두 정리했기 때문이다. 그래서 둘의 소식은 더 이상 들을 수 없게 되었다.

85.

더 이상 돈이 들어올 곳도 없고, 내게 연락 올 곳도 없어졌다. 나를 찾아오는 사람은 돈 받으러 오는 사채업자들 뿐이었다. 하지만 이제 그들에게 줄 돈도 없었다. 생활비도 거의 다 떨어졌다. 하지만 그런 것 따윈 신경 쓰지 않았다. 내겐 중요한게 아니었다. 그날 이후 연락을 끊어버린 남자친구가 내 세상에선 가장 중요했다.

난 방문을 잠그고 커튼으로 모든 빛을 차단한 어두운 방에서 연락 오지 않을 전 남자친구의 프로필 사진만을 바라봤다. 프로필 사진을 모두 내려버려 아무것도 없는 기본 프로필이었지만, 그걸 몇 번이나 켰다 껐다 하다 지쳐 잠들고, 다시 잠에서 깨면 그 일을 반복했다. 그러다 꿈속에서 온 그의 연락에, 화들짝 잠에서 깨 핸드폰을 확인했다. 하지만 내 폰에는 아무런 연락이 없었다. 그럼 나는 또 하염없이 눈물이 쏟아지고 가슴이 찢어질 듯 아팠다. 어떻게 해야 될지 몰라 이불을 부여잡고 울다가 지쳐 잠들었다.

그가 떠난 이후로 내 하루는 이런 반복이었다.

매일 후회했다. 아니 매시간 매분 매초 후회했다.

그때, 내가 발을 헛딛이지 않았더라면, 차라리 조용히 넘어갈 수 있었을까?
그때, 내가 그 방을 들어가지 않았더라면..
그때, 최 대표의 제안을 받아들이지 않았더라면...
그때....

아무리 후회해도 달라지는 건 없었다. 며칠 동안 제대로 먹지도 못해 몸에 힘이 없었다. 그냥 죽은 시체처럼 방구석에 누워 머리만 쥐어뜯고 있을 때, 밖에서 비가 내리는 소리가 들렸다.

나는 왜인지는 모르겠지만, 그 비를 보고 싶었다.

그래서 몸을 반만 일으켜 한동안 쳐둔 커튼을 치웠다. 빗물이 가득 묻은 창문으로 빗물에 동그랗게 번진 알록달록한 불빛이 보였다. 하늘에서 떨어지는 빗물은 타닥타닥하며 창문을 때리고 있었다. 그 창문 너머로는 어둠 속에 쏟아지는 비와 우산을 쓰고 그

비를 뚫고 가는 사람, 그리고 라이트를 내뿜고 천천히 지나가는 차가 보였다.

지금 몇 시일까?

시계를 보니 시간은 자정을 향해 달려가고 있었다.

문득 내 머릿속에 떠오른 건 그를 마지막으로 봐야 한다는 것이었다.
그를 만나야 했다. 난 시체처럼 널브러져 있던 내 몸을 일으켰다.

그리고 제일 먼저 한 것은 몸을 깨끗하게 씻는 것이었다. 샤워한 후 젖은 머리카락 그대로 화장대에 앉았다. 거울에 비치는 내 모습이 조금은 야위어 보였다. 그에게 내가 못생기게 보이지 않길 바랐다. 그래서 화장을 시작했다. 나는 그와 데이트하러 갈 때처럼 그에게 잘 보이고 싶은 마음으로 정성 들여 화장했다. 화장을 마치고 머리를 말렸다. 고데기로 머리를 예쁘게 만들었다. 마지막으로 옷을 골랐다. 전신거울 앞에서 여러 옷을 번갈아가며 맞춰보다 그가 제일 좋아했던 옷으로 정했다. 그리고 마지막으로 신발장에서 빨간 구두를 꺼냈다. 그리고 짙은 남색의 장우산을 챙겨서 집 밖으로 나왔다.

장마였다.

비가 이렇게 쏟아지는건 오늘부터 장마가 시작됐기 때문이었다. 비가 우산을 시끄럽게 때렸다. 바닥을 치는 빗물들이 구두에 튀면서 물방울이 맺혔다. 하지만 신경 쓰지 않았다. 내가 가야 할 곳은 그리고 가야 하는 곳은 너무나 명확했다.

나는 지나가는 택시를 세워 탔다. 그리고 내가 가야 할 그곳으로 향했다. 택시는 빗속을 뚫고 천천히, 그러면서도 무겁게 이 어두운 도로를 가로질렀다. 자동차 창문에 묻은 빗물들이 마치 눈물처럼 흘러내리는 것 같았다. 그리고 그곳에 감정을 알 수 없는 표정의 내가 비쳐 보였다.

잠시후 그가 일하는 술집 앞에 내렸다. 우산을 펴고 잠시 가만히 서서 그 가게를 바라보았다. 우산을 때리는 빗소리가 점점 귀에서 멀어지고 있는 것 같았다. 이윽고 그 소리가 멈춘 것처럼 느껴질 때, 나는 천천히 걸어가 그가 일하는 가게의 문을 열고 그곳으로 들어섰다. 문을 열자 빗소리는 다시 들리기 시작했다.

86.

난 결국 홀로 가게 문을 열고 나왔다.

그리고 우산을 펼쳤다.

유난히 더 무거워진 것 같은 빗물이 내 우산을 내려쳤다. 세상이 무너져 내리면서 떨어지는 파편들이 우산을 두드리는 것 같았다. 그 소리를 듣고 있으니, 무너져가는 이 세상에서 내가 할 수 있는 것은 아무것도 없는 것만 같았다.

우리는 완벽히 끝났다.

빗소리에 묻힌 조용한 눈물이 내 볼을 타고 흘러내렸다.

잠시 그렇게 소리 없는 눈물을 흘리다 발걸음을 옮겼다.

우리가 처음 만났던 그곳으로

처음 시작됐던 그곳에서 모든 것을 끝내고 싶었다.

쏟아지는 빗물을 뚫고 도착한 다리 위는 한적했다. 다리 아래로는 비 때문에 불어난 강물이 보였다. 우산을 조금 들어 강 너머를 바라보았다. 밤인데도 하늘에 먹구름이 가득했다. 그리고 그 아래에 있는 건물에는 빛이 없었다. 내가 바라보는 이 시야에서 빛내고 있는 것은 가로등 조명뿐이었다. 모든 빛이 꺼진 이 세상에서 그 가로등이 비추는 인도에는 아무것도 없었다. 길을 따라 켜져 있는 저 조명은 아무도 없는 외로운 길을 더욱 처량하게 보여줄 뿐이었다. 비와 함께 쓸쓸히 불어오는 바람에 내 머리카락이 흔들렸다.

길에 고인 빗물이 보였다.

화난것처럼 휘몰아치는 강물이 보였다.

그 위로 떨어지는 빗물이 보였다.

나는 구두를 벗었다. 조심스럽게 구두를 반대로 돌려두고, 우산을 그 위에 씌우듯이 바닥에 내려놓았다.

이번엔 아마 나를 잡아줄 사람은 없을 것이다.

나는 떨어지는 빗물과 함께 소용돌이치는 강물 저 너머로 몸을 던졌다. 물에 빠지는 동시에 내 귀는 물로 가득 채워지면서 이 세상의 소리가 모두 사라졌다.

87.

폭풍이 휘몰아치듯이 수많은 '정보'의 파편들이 내 머릿속에서 서로 충돌하기 시작했다.

'아니야, 넌 벌을 받고 있어.'

'죄송해요, 먼저 자리에서 일어날게요.'

'태풍이 온다더니 비가 장난이 아니네요.'

'죽어!'

'넌.. 악마야...'

기억의 장면들과 목소리들이 겹쳐지면서 점점 더 내 뇌를 울리기 시작하자 머리가 깨질 듯이 아파졌다. 그러면서 굉음과 같은 소리가 내 고막을 때리자 나는 참지 못하고 소리를 지르며 손을 뻗어 뭔가를 잡았다.

"으아아아악!!!"

그 순간 모든게 정리되듯 조용해지면서 갑자기 스크린이 켜지듯 내 시야가 켜졌다. 나는 어떤 공간에 서서, 호흡을 가쁘게 몰아쉬고 있었다. 처음에는 내 귀로 호흡 소리만 들리더니 점차 빗소리도 들리기 시작했다. 바로 옆에 있는 큰 유리창 밖으로 쏟아지는 비가 보였다. 그 비를 잠시 바라보고 있으니 호흡은 점차 정상으로 돌아오기 시작했다. 그리고 익숙한 조명과 분위기, 익숙한 냄새에 주위를 천천히 둘러보게 되었다.

이 홀에는 빨간 소파와 고동색 테이블이 배치되어 있고, 그리고 한쪽에는 카운터와 길게 늘어진 스탠드 테이블이 보였다. 그 안쪽으로 생맥주 기계와 벽면의 유리 진열장에는 많은 술잔이 배치되어있었다. 벽면 한켠에는 안이 훤히 보이는 냉장고가 있었는데, 그 안에는 다양한 술들이 배치되어 있었다.

그렇다.

여긴 내가 일했던 곳이다. 그걸 깨닫자 홀에서 장마를 주제로 한 여자가수의 발라드곡이 흘러나오고 있다는 것을 깨달았다. 한때 내가 정말 많이 들었던 곡이다. 나는 지금까지 호프집에서 일하고 있었던 것이다.

내가 누구고, 지금 어디에 있는지 알게 되자, 악몽에서 깬 사람처럼 마음이 천천히 안정되기 시작했다. 알 수 없는 안도감에 한숨을 내쉬었다. 그리고 다시 고개를 돌려 창밖을 바라봤다. 비가 정말 많이 내리고 있다. 장마라고 했던 것 같다. 아마 이번 주 내내 비가 온다고 했다. 나는 시계를 봤다. 자정을 가리키는 시간이었다. 비도 오고 시간도 늦어서인지 손님은 아무도 없었다. 사장님은 잠시 집에 좀 다녀온다고 하고 10분 전 쯤에 나갔었다. 그 후 나는 여유롭게 비를 구경하면서 이 노래를 감상하고 있었다. 그러다 잠시 멍때린 것 같다. 맞다. 난 그러고 있었다.

그런데 이 곡을 듣고 있으니, 이상하게도 마음 한구석이 유난히 아려왔다.

뭔가를 잃어버린 것 같다.

그게 뭘까..?

라고 생각하는 순간, 가게 문이 열리면서 울리는 종소리가 홀에 흘러나오던 음악과 빗소리를 멎게 했다.

나는 고개를 돌려 그곳을 바라봤다.

가게 문을 열고 천천히 들어오는 구두 소리와 함께
빗물이 뚝뚝 떨어지는 우산을 따라
천천히 내 시선이 아래에서 위로 옮겨지며
바라본 그 손님은

내 첫사랑이었던 그녀였다.

무제 | 연

Cookie 1

그녀와 헤어지고 정리되지 않은 무거운 돌덩이가 늘 내 가슴속에 자리하고 있었다. 그건 아마 그녀에게 다하지 못한 내 진심과 내가 받았던 과분한 사랑인 것 같다.

그래서 그것은 문득문득 내 머릿속에 등장해 날 괴롭히곤 했다. 밤이고 낮이고 내가 방심할 때마다 나타나, 나를 괴롭혔다.

우린 왜 헤어졌을까..? 헤어지지 않았다면 어땠을까? 그때 그 선택은 최선이었을까? 최악이었을까?

선택의 갈림길에서 내 선택에 따라 지어지는 모든 책임과 결과에 대한 아쉬움

이 아쉬움과 괴로움이 나를 그녀가 있는 심연의 그곳으로 이끌었고, 나는 그곳에 앉아있는 그녀를 마주했다. 그리고 천천히 입을 열었다.

『오랜만이네,

우리가 헤어진 이유가 무엇일까에 대해 많이 생각해 봤어
내 앞에서 가지 말라고 울던 너를 뒤로 두고 내가 떠나야 했던

이유가 무엇이었을까?
그땐 그 모든 게 너의 잘못이라고 생각했어.
하지만 그렇게 간단한 문제가 아닐 수도 있다는 생각이 들기 시작했어.

너와 헤어진 후 한 친구가 내게 해준 말이 있어
그 친구도 첫사랑의 여자를 떠나보내고 왜 헤어져야 했을까에 대한 고민을 많이 했다고 했어. 본인은 그 사람과 헤어질 거라 생각조차 해보지 못했다고 했어. 많이 티격태격하며 싸웠지만 맞춰가는 과정이고, 결국 결혼하게 될 거라고 생각했던거지. 종종 친구들한테 연애 상담을 할 때 들은 그 여자분은, 솔직히 누가 봐도 나쁜 여자였어. 하지만 내 친구는 여자친구에게서 문제를 찾고 있지 않았어. 친구는 그녀와 헤어지고 몇 달간 혼자 아파하며 고민하고, 답답할 땐 밤거리를 무작정 걷기도 했데. 몇 달간의 아픔과 생각의 시간을 지나치고 도달한 결론은

'우린 헤어질 운명이었다.' 였어.

친구인 우리가 봤을 때 헤어진 이유는 그녀 때문이었고, 결국 이별을 고한 것도 그녀였는데, 내 친구는 그렇게 결론을 내리지 않았던 거지.

아마, 우리도 그냥 거기서 헤어질 운명이었던 것 같아

우리가 만난 것도 인연이 닿아 만난 것처럼, 헤어져야 했던 것도 인연이 거기까지 였던거야

서로 다른 세상, 다른 공간, 다른 시간에서 살다 잠시 같은 세상, 같은 공간, 같은 시간에서 마주치게 되어 각자의 목표를 향해 함께 의지하며 걸을 수 있게 된 것. 그런 운명이었던거지.

각자의 목적지로 가는 길에 성장하는데 서로에게 힘이 되고 의지하는 역할을 해주는 그런 인연이었다고 생각해

하지만 이젠 길이 달라졌을 뿐이야

우린 다시 각자의 세상에서 각자의 공간과 시간 속에서 각자의 목표로 나아가야 할 뿐이고, 그게 다르기 때문에 우린 헤어진거야

그 누구의 잘못도 아니라고 생각해
그냥 파도가 치고, 바람이 불고, 비가 내리는 것과 같은 자연스러운 현상 중 하나일 뿐이야.
그래서 널 원망하지도, 더 이상 날 원망하지도 않으려고 해.
네가 진심으로 행복하길 바래. 나와 같은 세상에 있지 않을지언정, 다른 세상에서 살아가고 있더라도, 그 어느 곳에 있든, 네가 행복했으면 좋겠어.

내가 해줄 말은 여기까지야.

우리에게 아마 다음은 없겠지?

함께 해준 시간 그 순간순간 네가 내게 준 모든 것, 정말 고마웠어. 진심이야

그럼 난 그만 일어날게』

그리고 나는 자리에서 일어났다.
마지막으로 바라본 그녀에게선
눈물을 흘리며 나를 붙잡던 그 모습은 없었다.

이로써 우리는 정말 끝났다

늘 행복하길 바래

Cookie 2

온통 하얀 세상, 그곳에 서 있는 하얀 정장을 입은 남자는 바닥에 떨어져 있던 은색 빛을 뿜는 표를 집는다. 그리고 그 종이에 적혀 있는 글씨를 찬찬히 살펴본다.

종이에는 알 수 없는 글씨가 쓰여 있다.

"뫼비우스의 띠"

그는 씁쓸한 미소를 지으며 차원의 문을 열고 어디론가 사라진다.

신과 대화 2 / 부제 : 뫼비우스의 띠

초판 발행 | 2020년 01월 31일
개정판 | 2024년 03월 04일
저　자 | JayKlein
겉표지 그림 : 다리에서 도시를 바라보는 남/녀 | AI
속표지 그림 : building-2596807_1280 | Stock snap / Pixabay.com

ISBN | 979-11-410-7455-5

www.bookk.co.kr